A MĀORI WORD A DAY

365 WORDS TO KICKSTART YOUR REO

HĒMI KELLY

RAUPO

Hēmi Kelly is of Ngāti Maniapoto and Ngāti Tahu-Ngāti Whāoa descent. He is a full-time lecturer in te reo Māori at the Auckland University of Technology. Alongside the Māori language, Hēmi has a passion for waiata composition, writing, translation and Māori visual and performing arts. Hēmi is a licensed translator and a graduate of Te Panekiretanga o Te Reo, the Institute of Excellence in the Māori Language.

In 2017, Hēmi translated Witi Ihimaera's novella in *Sleeps Standing*. *A Māori Word a Day* is his first book.

Contents

He mihi

Firstly, I would like to acknowledge my whānau, hapū and iwi for their continued support of my work. I am also indebted to those who have educated, inspired and continue to guide me in my te reo Māori journey. I must thank Penguin Random House for their ongoing commitment to publish books of this nature, promoting the language and providing much needed resources for those undertaking their own journey. I would also like to acknowledge those who assisted in ensuring that the content of this book is accurate and correct – Leon Blake, Hēni Jacob, Mariana Whareaitu and Carol Buchanan, ka nui aku mihi ki a koutou. And finally, to you the reader, nau mai ki te reo Māori. I wish you all the best and leave you with the following blessing:

Kia hora te marino
Kia whakapapa pounamu te moana
Kia tere te kārohirohi
Ā, ko tōu hoa haere, ko te rangimārie

May the calm be widespread
May the ocean glisten like greenstone
May the shimmer of light dance across your pathway
And may peace itself be your travelling companion

Introduction

Nau mai, haere mai! Welcome to *A Māori Word a Day* – a simple introductory guide to the Māori language.

In recent years, New Zealand has enjoyed a huge resurgence in te reo Māori. It increasingly informs so much of what we do in day-to-day life.

A Māori Word a Day comprises of a selection of the most common, everyday words useful for beginner learners of Māori as well as those who have already begun their learning journey.

Pronunciation

The Māori alphabet contains five vowels, eight consonants and two digraphs:

a e h i k m n ng o p r t u w wh

Each vowel sound is either short or long. Short vowels are written normally, or as above, while long vowels are written with a macron to indicate the elongated sound:

a e i o u   ā ē ī ō ū

The difference between the short and long vowel sounds can alter the meaning of the word, e.g. popo (rotten), pōpō (pat with the hand) or popō (crowd round). Vowels in Māori are pronounced in the same way as the highlighted vowel or letter combination in the following English words:

a	amen
e	empty
i	evening
o	orphan
u	true

Consonants are pronounced the same as in English, except for 't' and 'r'. The 'r' is rolled gently, and there are two 't' sounds depending on the vowel that follows – 'ti' and 'tu' are pronounced with a slight sibilant sound, while 'ta', 'te' and 'to' are pronounced with a dull sound similar to a 'd'. The 'ng' digraph is pronounced as it sounds in the English word 'winger' and the 'wh' is pronounced like the English 'f' sound.

How this book works

Each word in *A Māori Word a Day* carries a classification depending on how it functions within the example sentences provided. In Māori, like English, some words belong to more than one class. The classes have been abbreviated in this book to represent the following:

a	adjective	**num**	numeral
int	interjection	**pro**	pronoun
l	location	**s**	stative
n	noun	**v**	verb
neg	negative		

The definition for each word is given along with example sentences. Where there is more than one definition, example sentences have been included for each separate meaning and part of speech. Not every meaning of every word has necessarily been included.

The English translation for each example sentence is provided to help with understanding. In some instances, the Māori word is used in an English sentence, just as it might be heard in everyday New Zealand English, e.g. *The kai is ready!*

These words and example sentences are written in a standard Māori language that doesn't include tribal dialectal variances in words and pronunciation. All language used will be very familiar to all speakers of te reo Māori.

To aid your learning even further, word notes throughout touch on etymology, explanations of key concepts central to Māori culture, and tribal variations. There are also traditional whakataukī (proverbs) and kīwaha (idiom) in the example sentences throughout.

A Māori Word a Day follows the orthographic conventions of Te Taura Whiri i te Reo Māori.

I hope this book sparks or enriches your journey into the Māori language!

Hēmi Kelly
November 2017

A MĀORI WORD A DAY

āe

(int) yes, yep.

Kua tae mai te manuhiri? Āe.
Have the visitors arrived? Yep.

Kei te pai koe? Āe, kei te pai ahau.
Are you okay? Yep, I'm fine.

Ka haere koe ki Kirikiriroa i tēnei rā? Āe, ka wehe atu au ā te toru karaka.
Are you going to Hamilton today? Yes, I'm leaving at 3 o'clock.

aihikirīmi

(n) ice cream.

He aihikirīmi māu?
Would you like an ice cream?

He tino reka rawa atu te aihikirīmi nei!
This ice cream is delicious!

Kia tere te kai i tō aihikirīmi, kei rewa i te rā.
Eat your ice cream quickly, before it melts in the sun.

ako

(v) to learn, teach.

Kei te ako ahau i te reo Māori.
I'm learning the Māori language.

Māu ahau e ako?
Will you teach me?

(n) learning.

Kāore he mutunga o te huarahi o te ako.
Learning is an endless journey.

ākonga

(n) student.

He aha tō mahi? He ākonga ahau i te whare wānanga.
What do you do? I'm a student at university.

E ono rau ngā ākonga o te kura nei.
There are six hundred students at this school.

Kapi tonu a Ōtepoti i te ākonga.
Dunedin is full of students.

*-nga as a suffix (as well as others: -tanga, -hanga, -ranga, -manga) is used to make verbs into nouns: moe (to sleep) and moenga (bed); tū (to stand) and tūranga (position).

āmaimai

(a) nervous, anxious.

Kei te tino āmaimai ahau.
I'm feeling really nervous.

Kaua e āmaimai.
Don't be nervous.

(n) nervousness, anxiety, nerves.

He wā tōna ka mate au i tōku āmaimai.
My nerves sometimes get the better of me.

āpōpō

(1) tomorrow.

Ka kite anō i a koe āpōpō.
See you tomorrow.

Kia pai te haere āpōpō.
Safe travels tomorrow.

He rā anō āpōpō.
There is always tomorrow.

arā

(int) there, over there, there it is, there they are.

Kei hea te raumamao? Arā, kei mua i tō ihu!
Where's the remote? There, in front of your nose!

Arā tō tātou waka.
There's our ride.

Arā te waha papā e haere mai ana.
There's the big mouth, heading this way.

*Arā is also used as a conjunction to mean 'that is' or 'in other words'.

āritarita

(a) excited.

E āritarita ana ahau ki te haere ki Hawai'i.
I'm excited to be going to Hawai'i.

Kei te āritarita te kurī, he kite nāna i tana taura.
The dog is excited because he saw his lead.

(n) excitement.

Kāore e taea tōku āritarita te kurupena iho!
I can't hide my excitement!

aroha

(n) love, sympathy, compassion.

Ka nui taku aroha ki a koe.
I love you very much.

E kī ana ētahi, mā te aroha e huri ai te ao.
Some say that love makes the world go 'round.

Ka aroha hoki!
How sad! (Expressing sympathy)

ātaahua

(a) beautiful.

He nui ngā wāhi ātaahua i Aotearoa.
There are plenty of beautiful places in New Zealand.

Tō ātaahua hoki!
You look beautiful!

He waiata ātaahua tēnei.
This is a beautiful song.

aua

(int) I don't know.

Kei hea ō hū? Aua.
Where are your shoes? I don't know.

He aha te wā e tīmata ai te whakaaturanga? Aua hoki.
What time does the show start? I'm not sure.

He aha te whakautu? Aua.
What's the answer? I don't know.

*Be careful: *aua* also means 'yellow-eyed mullet'!

auē

(int) oh heck! oh dear! oh no!

Auē! Kua wareware i a au taku wāreti.
Oh heck! I've forgotten my wallet.

Kei te heke te ua. Auē! Kāore au i mau mai i taku koti.
It's raining. Oh no! I didn't bring my jacket.

Auē! Ko wai anō tōna ingoa?
Oh dear! What's her name again?

autaia

(a) pretty good, not bad.

He autaia koe ki te kōrero Māori.
You're pretty good at speaking Māori.

I rongo koe i a Tūī e waiata ana? Aē, he autaia.
Did you hear Tūī singing? Yeah, she's not bad.

He autaia rātou ki te mahi.
They're pretty good at working.

awa

(n) river.

Ko Ruapehu te maunga, ko Whanganui te awa.
Ruapehu is the mountain and Whanganui is the river.

Ko Waikato te awa roroa i Aotearoa.
Waikato is the longest river in New Zealand.

Me taiapa ngā manga me ngā awa kia kore ai e tīkona e te kau.
We must fence the streams and rivers so they aren't defecated in by cows.

*Tribal landmarks like *awa* and *maunga* are used in *pepeha* to identify where someone comes from.

āwenewene

(a) very sweet.

He āwenewene te keke nei.
This cake is very sweet.

Kāore au e pai ki ngā kai āwenewene.
I'm not a fan of very sweet food.

(n) sweets, lollies.

Kaua e whāngaia ngā tamariki ki te āwenewene, ka rorirori rātou.
Don't feed the kids sweets, they end up going crazy.

awhi

(v) to cuddle, hug, embrace.

Haere mai, kia awhi atu au i a koe.
Come here so I can give you a hug.

Tēnā koutou e awhi nei i te kaupapa.
Thank you all for embracing the cause.

Kei te awhi a Ria i tana tāre.
Ria is hugging her doll.

āwhina

(v) to help, assist.

Tēnā, āwhina mai i a au.
Give me a hand, please.

Me āwhina tētahi i tētahi.
We must help one another.

Mā wai ahau e āwhina?
Who will assist me?

*It is important to note that *awhi* and *āwhina* are not synonymous despite sounding very similar in Māori. Asking someone for a hug and asking someone for help are two very different things!

e noho rā

(int) goodbye, bye, farewell (said to those staying).

E noho rā, e hoa. Haere rā.
Goodbye, mate. Bye.

E noho rā. Kua tae ki te wā e hoki ai mātou ki te kāinga.
Farewell. It's time we returned home.

Kua haere au, e noho rā.
I'm out, bye.

*This farewell is only used to say goodbye to those who are staying as you're leaving.

eke

(v) to board a vehicle, embark, mount, ride.

Kei te mōhio koe ki te eke hōiho?
Do you know how to ride a horse?

I eke pahikara mai mātou.
We came (rode) by bicycle.

Eke mai ki runga i te pahi!
All aboard the bus!

ekeeke

(v) to have sex, copulate, have sexual intercourse.

He aha ngā kōrero o te wā? Ko wai kei te ekeeke i a wai?
What's the goss? Who's doing who?

Kua tukuna atu te pūru ki roto i te taiapa ki te ekeeke i ngā kau.
The bull has been put in the paddock to mount the cows.

Mō tēnei mea, mō te ekeeke, kāore e rerekē ake i ētahi atu mea –
mā te whakamātau e pai ake ai.
When it comes to sex, it's no different to anything else – you get
better with practice.

haere

(v) to come, go, travel.

Kei te haere au ki te mahi.
I'm going to work.

Kaua e haere ki kō.
Don't go over there.

(n) trip, journey, travel.

He nui aku haere ki Te Waipounamu i tēnei tau.
I've made a lot of trips to the South Island this year.

haere atu

(int) go away.

Ki te kore koe e āwhina mai, haere atu.
If you're not going to help, go away.

Haere atu ki waho.
Go outside.

Haere atu kōrua, kei te mahi au.
Go away (you two), I'm working.

haere mai

(int) come here, welcome.

Haere mai ki te mihi ki tō whaea kēkē.
Come and say hello to your aunty.

Haere mai ki tēnei marae.
Welcome to this marae.

Haere mai ki roto i te whare.
Come inside the house.

*Haere mai may follow nau mai, which also means 'welcome'.

haere rā

(int) goodbye, bye, farewell (said to one leaving).

Haere rā, e hoa. E noho rā.
Goodbye, mate. Bye.

Haere rā koutou, kia pai tā koutou haere.
Farewell you lot, travel safe.

Ka kite anō i a koe kia hoki
mai koe, haere rā.
I'll see you again when you
return, farewell.

*This farewell is only used to say goodbye to those who are leaving (as you stay). It's commonly heard in *whaikōrero* when farewelling loved ones who have passed on.

haka

(v) to dance, perform the haka.

E haka ana ngā tamariki rā.
Those kids are performing the haka.

(n) posture dance.

Ahakoa haere ai tātou ki whea i te ao, kei te mōhio ngā iwi katoa ki te haka.
No matter where we go in the world, everyone knows the haka.

Turituri! Kua tīmata te haka a te Kapa Ōpango.
Quiet! The All Blacks haka has started.

*Te Rauparaha, famed Ngāti Toa chief and war leader, composed the well-known 'Ka Mate' haka.

hākari

(v) to feast.

Mutu ana ngā mahi katoa, ka hākari tātou.
Once all the work is done, we will feast.

(n) feast, banquet, celebration.

Ko te hākari te wāhanga whakamutunga o te tangihanga.
The feast is the last part of the funeral proceedings.

Kei te haere māua ko Hinetū ki tētahi hākari kohikohi pūtea.
Hinetū and I are going to a banquet fundraiser.

hāngī

(n) earth oven, food cooked in the ground.

Ko te hāngī taku tino kai.
Hāngī is my favourite food.

We're having a hāngī for Christmas dinner.

Me tunu rawa te hāngī ki te whenua e rongo ai te ngao i te tāwara tūturu o te hāngī.
You must cook the hāngī in the ground to get that true hāngī flavour.

hapori

(n) community, neighbourhood.

He hapori kanorau te hapori whānui o Tāmaki-makau-rau.
The wider Auckland community is very diverse.

Kua roa ahau e noho ana i waenganui i tēnei hapori.
I've been living in this community for a long time.

He hapori pai tēnei.
This is a good neighbourhood.

*Hapū denotes family ties, whereas *hapori* applies to any community or neighbourhood.

hapū

(n) sub-tribe, clan.

Ko Ngāti Maniapoto te iwi, ko Ngāti Unu te hapū.
Ngāti Maniapoto is the tribe and Ngāti Unu is the sub-tribe.

Kei ngā hapū te mana whakahaere i runga i ngā marae.
The hapū have control over the affairs on the marae.

Nō Kotirani taku koroua; nō te hapū o Maclean mātou.
My grandfather is from Scotland; we're from the Maclean clan.

harikoa

(a) happy, joyful.

E harikoa ana taku ngākau kua tae mai koe.
I'm happy you've arrived.

Ko te mea nui e harikoa ana koe.
The main thing is that you're happy.

(n) happiness.

Kāore e taea tēnei mea te harikoa te hoko.
One cannot buy happiness.

*Funnily enough, both *hari* and *koa* on their own also mean 'happy'.

hau

(n) wind.

Kei te kaha te pupuhi mai o te hau.
It's blowing a gale.

Kuhuna tō koti hei ārai i te hau.
Wear your jacket to protect against the wind.

Ko Tāwhirimātea te atua o ngā hau.
Tāwhirimātea is the god of the winds.

Hauraki, therefore, translates to 'north wind'.

haunga

(a) smelly, putrid.

Ko wai i patero? Te haunga hoki!
Who farted? It stinks!

Nō wai ngā hū haunga nei?
Who do these smelly shoes belong to?

(n) foul smell.

Ka piro ki taku ihu te haunga o te ika!
I can't stand the foul smell of fish!

hauora

(a) healthy.

E hauora ai te tinana, me tika ngā kai, me whakapakari tinana anō hoki.
For a healthy body, you need to eat right and exercise.

(n) health, wellbeing.

E pēhea ana tō hauora?
How's your health?

Kei te pai te hauora o ngā tamariki.
The children are healthy.

*The opposite of *hauora* is *haumate* – to be 'unhealthy' or 'unwell'.

haurangi

(v) to be drunk, drink alcohol.

Me mutu tō haurangi.
You need to stop drinking.

(n) drunkard.

*Haurangi literally means 'windy sky'!

Nā wai ngā haurangi rā i pōhiri mai?
Who invited those drunkards?

(a) drunk, intoxicated.

Kei te haurangi tonu koe?
Are you still drunk?

hautū

(n) drive (a vehicle), lead, guide.

Kaua e hautū waka i te wā e haurangi ana.
Don't drink and drive.

Mā Tūī e hautū te waka.
Tūī will drive the car.

Ko wai kei te hautū i tēnei kaupapa?
Who is leading this project?

haututū

(a) mischievous, naughty, troublesome.

Nā wai te tamaiti haututū rā?
Whose is that mischievous child?

(v) to be naughty, disobedient.

Kāti te haututū.
Stop being naughty.

*Haututū is often abbreviated in English to tutu, e.g. Stop being a tutu!

(n) mischievous person.

Ko wai te haututū nāna i raweke aku rawa?
Who's the mischief who's meddled with my things?

hei konā

(int) goodbye, see you later.

Hei konā, e hoa mā.
Goodbye, friends.

Me haere au ināianei. Ka pai, hei konā.
I had better go now. Okay, see you later.

Ka kite i a koe āpōpō. Āe, hei konā.
See you tomorrow. Yep, bye.

*This farewell can be used freely and informally by those staying and going.

hiko

(n) lightning, electricity.

I kite koe i te hiko i te rangi?
Did you see the lightning in the sky?

He nui te utu mō te pire hiko i tēnei marama.
The power (electricity) bill was expensive this month.

I a au e tupu ake ana, karekau he hiko i tō mātou whare.
When I was growing up, we didn't have power in our house.

*Hiko, the word for 'lightning', was given to mean 'electricity' when electric lights appeared in Aotearoa in the late nineteenth century.

hīkoi

(v) to walk.

Hīkoi ai au i ia ata, i ia ata.
I walk every morning.

Kia āta hīkoi, ehara i te rēhi!
Walk slowly, it's not a race!

(n) walk, march (demonstration, protest).

In 1975, Whina Cooper led the hīkoi from Northland to
Parliament in protest of Māori land alienation.

hipi

(n) sheep.

E ai ki ngā tatauranga, neke atu i te ono tekau miriona hipi kei Aotearoa.

Statistics tell us there are more than 60 million sheep in New Zealand.

Ko te whakatupu hipi me te kuti hipi ētahi o ngā ahumahi nunui i Aotearoa.

Sheep farming and shearing are two major industries in New Zealand.

Kāore pea he kararehe pōrori ake i te hipi.

I doubt there is an animal dumber than the sheep.

hoa

(n) friend, mate, companion.

Kia ora, e hoa.
Hey, mate.

Koinei taku tino hoa.
This is my best friend.

I haere takitahi mai koe? Kei hea tō hoa?
Did you come alone? Where's your friend?

*Hoa tāne means 'husband' or 'boyfriend' (literally 'man friend') and *hoa wahine* means 'wife' or 'girlfriend' (literally 'woman friend').

hoariri

(n) enemy, opponent.

Ko wai te hoariri o te Kapa Ōpango ā tērā wiki?
Who's the All Blacks' opponent next week?

Kāore ōku hoariri.
I have no enemies.

Kia tata ki a koe ō hoa, ā, kia tata noa ake ki a koe ō hoariri.
Keep your friends close and your enemies even closer.

hoatu

(v) to give to (away from the speaker), give away.

Hoatu te parāoa ki a Kararaina.
Pass the bread to Kararaina.

I hoatu ahau i ngā pepa ki te kiripaepae.
I gave the papers to the receptionist.

Hoatu tō tau waea ki a ia.
Give her your phone number.

*The opposite of hoatu is homai – homai tō tau waea means 'give me your number'.

hōhā

(a) fed up, boring, annoying.

Kua hōhā au.
I'm fed up.

He mahi hōhā tēnei.
This is boring work.

He tangata hōhā ia.
He's an annoying person.

hōiho

(n) horse.

He hōiho tō mātou, ko Pango tōna ingoa.
We have a horse, her name is Pango.

Nā taku pāpā ahau i ako ki te eke hōiho.
My father taught me how to ride a horse.

Me e tau ana tō mauri, ka tau hoki te mauri o te hōiho.
If you're relaxed, the horse will also be relaxed.

hoko

(v) to buy, shop, purchase, trade.

Haere ki te hoko miraka.
Go and buy some milk.

I te taenga mai o te Pākehā, ka hoko rāua ko te Māori.
When Pākehā arrived, they began to trade with Māori.

Kei te haere au ki te hoko kawhe. He kawhe māu?
I'm going to buy a coffee. Would you like one?

homai

(v) to give (towards the speaker).

Homai te pene.
Pass the pen.

Homai ō whakaaro.
Give me your thoughts.

Tēnā, homai he wai mōku.
Give me some water, please.

hongi

(v) to sniff.

Kaua e hongi i te kai, he mahi pakirara tēnā.
Don't sniff the food, it's rude.

(v) to press noses when greeting.

*Hongi is performed by everyone – men, women and children – at both formal and informal meetings.

Kia mutu ngā whaikōrero, ka hongi tātou.
Once the speeches have finished, we will hongi.

(n) the pressing of noses when greeting.

The hongi is the Māori way of greeting one another.

horoi

(v) to wash, clean.

Haere ki te horoi i ō ringaringa.
Go and clean your hands.

Mā wai ngā rīhi e horoi?
Who will wash the dishes?

Me horoi koe i te waka!
You need to wash the car!

hōtaka

(n) programme, series.

Kua mātakitaki koe i te hōtaka o Ako?
Have you seen the series *Ako*?

He hātakēhi tēnei hōtaka.
This programme is a hard-case.

He aha te hōtaka mō te wānanga hei tēnei mutunga wiki?
What's the programme for the conference this weekend?

hōtoke

(n) winter.

Ka tīmata te hōtoke i te Pipiri, ka mutu i te Hereturikōkā.
Winter starts in June and ends in August.

Ka tīkona ngā hiwi e te hukapapa i te hōtoke.
Snow settles on the ridges in the winter.

Puta mai ai a Matariki i te hōtoke.
Matariki appears in winter.

hū pakipaki

(n) jandal.

Kei a wai aku hū pakipaki?
Who has my jandals?

Kuhuna ō hū pakipaki.
Put your jandals on.

I ngaro tētahi o aku hū pakipaki i te onepū.
I lost one of my jandals in the sand.

*Can you guess why jandals are called *hū pakipaki*? Answer: Because of the slapping noise they make when you walk.

hua

(n) product, result, outcome, benefit, gain.

He nui ngā hua o te mōhio ki ngā reo e rua.
There are a lot of benefits in being bilingual.

He aha ngā hua i puta i te hui?
What was the outcome from the meeting?

Mā te mahi ngātahi e kitea ai ngā hua.
Through working together, the results will be seen.

huarahi

(n) road, path.

Kaua e kotiti i te huarahi.
Don't stray from the path.

Whāia te huarahi o te tika.
Follow the path of righteousness.

Kei te huarahi matua tō mātou kāinga.
Our home is on the main road.

huarākau

(n) fruit.

He aha te huarākau tino pai ki a koe? He panana.
What fruit do you like the most? Bananas.

Me kohikohi koe i ngā huarākau kua taka ki te papa, kei pirau.
Collect the fruit that has fallen on the ground before it rots.

He pai ake te huarākau i te āwenewene.
Fruit is better than sweets.

**Huarākau
literally means
'fruit of the tree'.*

huawhenua

(n) vegetables.

Kei te whakatupu huawhenua mātou – he rīwai, he kūmara,
he kamokamo anō hoki.
We're growing vegetables – potatoes, kūmara and kamokamo.

Haere ki te hoko huawhenua mō te hupa.
Go and buy some vegetables for the soup.

Ko te kūmara taku tino huawhenua.
Kūmara is my favourite vegetable.

*Huawhenua means 'fruit of the land'.

hui

(v) to meet, to get together.

Ka hui māua ko Hare ā te rua karaka.
Hare and I are meeting at 2 o'clock.

(n) meeting, gathering.

He aha te kaupapa o te hui?
What's the purpose of the meeting?

Āhea tā tāua hui?
When is our meeting?

huka

(n) snow.

Mā tonu a Ruapehu i te huka.
Ruapehu was completely white with snow.

Kua rewa te huka.
The snow has melted.

(n) sugar.

Kia hia ngā huka i tō kawhe?
How many sugars in your coffee?

*It's not really known whether *huka* was coined for 'sugar' because it's white like snow, or if it's merely a transliteration of the word sugar. A little of both perhaps?

huritau

(n) birthday, anniversary.

Āhea tō huritau? Ā te 25 o Mahuru taku huritau.
When is your birthday? My birthday is on the 25th of September.

Hari huritau ki a koe!
Happy birthday!

Kei te whakanui māua i tō māua huritau rua tekau mā rima.
We're celebrating our 25th anniversary.

*Huritau (huri – turn, tau – year) literally means 'the turning of the year'.

ihi

(n) thrill, excitement, power.

Ki te wana te haka, ka rongo koe i te ihi.
If the haka is full of energy, you will feel the excitement.

Ki te maninohea te haka, e kore koe e rongo i te ihi.
If the haka is listless, you won't feel the excitement.

I te tūnga mai o Te Waka Huia, ka hīnawanawa taku kiri, ka tū te ihi.
When Te Waka Huia stood to perform I got goosebumps, the power was overwhelming.

*Ihi is a force felt when witnessing something spectacular and dynamic that sets the heart racing.

ihu

(n) nose.

Tō ihu.
Stop being nosy. (Literally: 'Your nose')

He ihu kurī tō tērā tangata.
That person has the nose of a dog. (Describing someone who delves in to people's affairs)

Kaua e tū tō ihu ki te kai.
Don't stick your nose up at food.

*Ihu is also the nose, or prow, of a boat.

ika

(n) fish.

Nā Māui i hī ake tēnei whenua e kīia nei ko Te Ika-a-Māui.
Māui fished this land that we call The Fish of Māui.

Kia hia ngā ika māu? Kia rua, me ngā rīwai parai i te taha.
How many fish for you? Two, and a scoop of chips.

E hia ngā ika i mau i a kōrua? Korekau. Tō kōrua koretake hoki!
How many fish did you two catch? None. You useless buggers!

*According to Māori legend, Māui stowed away in the hull of his brother's canoe. When it reached the open water, Māui appeared and trawled the biggest catch of the day – the North Island!

īmēra

(n) email.

Kua kite koe i te īmēra a Hina?
Have you seen Hina's email?

(v) to email.

Māu ahau e īmēra.
Email me.

Kei te īmēra au ki a koe ināianei.
I'm emailing you now.

inanahi

(1) yesterday.

I hea koe inanahi?
Where were you yesterday?

I te kāinga ahau inanahi.
I was at home yesterday.

I tae mai mātou inanahi.
We arrived yesterday.

inanga

(n) whitebait.

Tonoa he parāoa inanga.
Order a whitebait fritter.

He reka te inanga me ka kīnakihia ki te kīnaki tōmato.
Whitebait is delicious if it's served with tomato sauce.

Tīmata ai te tau hao inanga hei te Hereturikōkā.
Whitebait season starts in August.

inapō

(l) last night.

I rongo koe i te whaititiri inapō?
Did you hear the thunder last night?

I aha koe inapō?
What did you do last night?

Inapō i haere au ki te wharekai hou.
Last night I went to the new restaurant.

inu

(v) to drink.

Me kaha ake tō inu wai māori!
You should drink more water!

(n) drink, beverage.

He inu māu?
Would you like a drink?

Where's your inu?

ingoa

(n) name.

Ko wai tō ingoa?
What's your name?

Ko Witi tōku ingoa.
My name is Witi.

Ko wai te ingoa o tēnei tiriti?
What's the name of this street?

*The Māori word for 'nickname' is ingoa kārangaranga (literally, 'the name called repeatedly').

īPapa

(n) iPad.

Kei a koe tō īPapa?
Have you got your iPad?

Āe, kei a au taku īPapa.
Yes, I have my iPad.

Kua pau te hiko o taku īPapa!
My iPad has gone flat!

*While the translation of some words into Māori is often debated, others like *īPapa* appear organically from within the Māori speaking community and stick.

ipo

(n) lover, darling, boyfriend, girlfriend.

E taku ipo, kei hea koe?
My darling, where are you?

Ko wai te ipo hou?
Who's the new lover?

Koinei taku ipo, ko Tāne tōna ingoa.
This is my boyfriend, Tāne.

*Many readers
will know Prince
Tui Teka's beautiful
love song, 'E Ipo'.

ipurangi

(n) internet.

Kua hono atu koe ki te ipurangi?
Have you connected to the internet?

Te pōturi hoki o te hononga ki te ipurangi!
The internet connection is terribly slow!

Me kore ake te ipurangi!
Thank God for the internet!

*Ipurangi literally means 'bowl in the sky'. It also means 'the source of a stream'.

iti

(a) small, few.

He iti tēnei whare.
This house is small.

Homai tētahi wāhanga iti o te keke.
Pass me a small piece of the cake.

He iti te kupu, engari he nui te kōrero.
Though the words may be few, there are many messages within.

*Some iwi prefer the word *paku* over *iti* for small.

iwi

(n) tribe, nation, race, people.

Ko Ngāti Tūwharetoa tōku iwi.
Ngāti Tūwharetoa is my tribe.

He nui ngā iwi rerekē i Aotearoa.
There are many different peoples in New Zealand.

Ko wai tō iwi?
What is the name of your tribe? *or* Who are your people?

ka pai

(int) good, all good, well done.

Me hoki au ki te kāinga ināianei. Ka pai, ka kite anō i a koe āpōpō.
I've got to go home now. All good, see you again tomorrow.

Kei te haere au ki te toa. Ka pai.
I'm going to the shop. All good.

Ka pai, e hoa!
Well done, mate!

kaha

(a) strong, able, courageous.

Kia kaha koe!
Be strong!

Kei te kaha koe ki te āwhina mai?
Are you able to lend a hand?

He kaha koutou ki te mahi.
You all work hard.

kai

(v) to eat.

Kua mutu tō kai?
Have you finished eating?

Kua kai koe?
Have you eaten?

(n) food.

He nui te kai.
There is plenty of food.

*Kai plays an important part in being hospitable on the marae and in the home. It is not only the tangata whenua who provide kai but manuhiri may also bring delicacies from their own area to share. The sharing of kai between the two parties concludes the pōhiri ceremony and renders all activities noa, rather than tapu.

kaiako

(n) teacher.

Ko wai tō kaiako?
Who's your teacher?

Ko Mere tōku kaiako.
Mere is my teacher.

He rawe taku kaiako.
My teacher is excellent.

kaiārahi

(n) leader, captain.

Ko Pare te kaiārahi.
Pare is the leader.

Me whai koe i te kaiārahi.
Follow the leader.

Ko wai te kaiārahi o te kapa?
Who's the team captain?

kaikōrero

(n) speaker, spokesperson.

Ko wai te kaikōrero?
Who is the speaker?

He nui ngā kaikōrero o te taha manuhiri.
There are a lot of speakers on the visitors' side.

Do you have a kaikōrero?

*In Māori culture, although the *kaikōrero* may stand as an individual, he or she speaks on behalf of the people they represent.

kāinga

(n) home, home turf, village.

Kei hea tō kāinga?
Where's your home?

E kōingo ana taku ngākau ki te kāinga.
I miss home.

Ko tōku kāinga, ko tōu kāinga.
My home is your home.

*Make sure you lengthen the sound of that first *ā* (as indicated by the macron on top of the vowel). You don't want to say *kainga* (eat) when you mean *kāinga* (home). A tip to remember: Just like a home, the first *a* in *kāinga* has a roof on top.

kaitiaki

(n) caretaker, guardian, guard.

Ko tātou katoa ngā kaitiaki o te taiao.
We are all caretakers of the environment.

Ko wai te kaitiaki o tēnei wāhi?
Who is the guardian of this place?

Kei hea te kaitiaki o te whare?
Where's the guard of the house?

kaitoa

(int) good job! take that!

I taka au i te taiapa. Kaitoa! I kī atu au ki a koe kia kaua e piki ki runga.
I fell off the fence. Good job! I told you not to climb on it.

Kei te ānini taku māhunga. Kaitoa! Nāu anō tō rua i keri.
I've got a pounding headache. Take that! It's your own fault (literally: 'you dug your own hole').

(int) thank goodness!

Kaitoa! Kua mutu ngā mahi.
Thank goodness! The work's done.

kaitōrangapū

(n) politician.

Kua hōhā au i ngā pahupahu a ngā kaitōrangapū.
I'm fed up with the prattle of the politicians.

Ia tau, haere atu ai ngā kaitōrangapū ki runga o Waitangi.
Every year the politicians ascend upon Waitangi.

Ko wai ngā kaitōrangapū e haere mai ana ki te tautohetohe?
Who are the politicians coming to the debate?

*Tōrangapū literally means to rally groups of people and it's used nowadays to mean politics. By adding the prefix kai-, it becomes kaitōrangapū, or politician.

kākahu

(n) clothes, clothing, garment.

Nō wai ngā kākahu nei?
Whose are these clothes?

I hoko au i ētahi kākahu hou inanahi.
I bought some new clothes yesterday.

Nō hea tō kākahu?
Where is your garment from?

kakara

(n) aroma, sweet smell, scent.

Kei te rongo taku ihu i te kakara o te kai.
I can smell the aroma of the food.

He pai tō kakara.
You smell good.

(a) aromatic, sweet-smelling.

He aha tērā e kakara mai ana?
What is that sweet smell?

kanikani

(n) dance.

He aha tēnā momo kanikani?
What's that type of dance?

(v) to dance.

Kanikani mai.
Dance with me.

He pai koe ki te kanikani.
You're good at dancing.

*Kani, on its own, means to saw, move back and forth – dancing is kind of the same!

kāore

(neg) no.

Kei te haere mai koe ki te hui? Kāore.
Are you coming to the hui? No.

Kua kite koe i a Hera? Kāo.
Have you seen Hera? No.

*Kāore is often shortened to kāo.

I pai tō moe? Kāore, i moe hurihuri au.
Did you sleep well? No, I tossed and turned.

kaputī

(n) cup of tea.

He kaputī māu?
Would you like a cup of tea?

Kia hia ngā huka i tō kaputī?
How many sugars in your tea?

(v) to have a cup of tea.

Haere mai ki te kaputī.
Come and have a cup of tea.

karakia

(n) prayer, blessing.

Me tīmata ki te karakia.
We should start with a blessing.

(v) to pray, bless.

Mā wai e karakia te kai?
Who will bless the food?

Kei te karakia te minita.
The minister is praying.

karanga

(v) to call, summon.

Haere ki te karanga i ngā tamariki.
Go and call the children.

Karanga atu ki a Hone.
Call out to Hone.

(n) formal call performed by women in ceremonial welcome.

Mā wai te karanga?
Who will perform the karanga?

*Karanga-a-Hape, or Karangahape, as in the road in Auckland, literally translates to 'the call of Hape'.

karawhiua

(int) give it heaps! go hard!

Karawhiua atu, e tama!
Go hard, boy!

Kua rite koutou? Tahi, rua, toru, karawhiua!
Are you ready? One, two, three, go for it!

Āpōpō tū ai ngā whakamātautau whakamutunga. Karawhiua, e taku tau.
The final exams are tomorrow. Give it your all, my darling.

*Whiu means 'to throw' – so here, 'throw yourself into it'!

kata

(v) to laugh.

He aha tāu e kata nā?
What are you laughing about?

Kei te kata ngā tamariki.
The children are laughing.

Kaua e kata!
Don't laugh!

kāti

(int) stop, cease, enough.

Kāti te pēnā!
Stop doing that!

Kāti te kōrero.
Stop talking.

Kāti te whakahōhā mai i a au.
Stop annoying me.

kau

(n) cow.

Me ara moata te kaipāmu ki te whakatētē i ana kau.
The farmer needs to rise early to milk his cows.

Kei roto ngā kau i tētahi taiapa, kei roto te pūru i tētahi atu.
The cows are in one paddock and the bull is in another.

*Neke atu i te tekau miriona ngā kau e whakatupuria ana
i Aotearoa.*
There are more than 10 million cattle farmed in New Zealand.

kaua

(neg) don't.

Kaua e oma i roto i te whare.
Don't run inside.

Kaua e whawhai.
Don't fight.

Kaua e mate wheke, me mate ururoa.
Don't give in like the octopus, persevere like the shark.

kaukau

(v) to swim.

Kua haere ngā tamariki ki te awa ki te kaukau.
The children have gone to the river to swim.

Kaua e kaukau i konei.
Don't swim here.

Me ako koe ki te kaukau.
You need to learn to swim.

kaumātua

(n) elder (both male and female).

Whakarongo ki ngā kaumātua.
Listen to the elders.

Nā aku kaumātua ahau i whakatupu.
My elders raised me.

Who is the kaumātua of this marae?

*Gender specific words for grandfather (or elderly man) and grandmother (or elderly woman) are *koroua* and *kuia*.

kawa

(n) protocol (in relation to the marae, pōhiri and other formal ceremonies).

E rua ngā kawa, ko tauutuutu tētahi, ko pāeke tētahi.
There are two protocols that exist; *tauutuutu* and *pāeke*.

Whāia te kawa o te hau kāinga, kaua e whai i tōu ake.
Follow the protocol of the local people, not your own.

Kaua e takahi i te kawa.
Don't violate the protocol.

*In whaikōrero, all marae follow one of two *kawa*: *tauutuutu*, where the parties' speakers alternate; or *pāeke*, where all tangata whenua speakers will stand first before manuhiri are given the chance to respond.

kawhe

(n) coffee.

He kawhe māu?
Would you like a coffee?

Āe, he kawhe māku.
Yep, I'll have a coffee.

He pai ki a au te kawhe pango.
I like black coffee.

*Watch those macrons – *kōwhe* means 'calf' (cow)!

kēmu

(n) game.

I mātakitaki koe i te kēmu?
Did you watch the game?

I rawe te kēmu!
The game was excellent!

Me tākaro kēmu tātou.
Let's play a game.

kete

(n) kit, basket.

He mea raranga tēnei kete e tōku kuia.
This kit was woven by my grandmother.

E rua ngā kīwei o te kete.
The basket has two handles.

Pass my kete.

*Kete whakairo is the name of the finely woven patterned kete.

kī

(a) full.

Kua kī taku puku.
I'm full. (Literally: 'my stomach is full')

Kī tonu te whare i te tangata.
The house is jam-packed with people.

Kei te kī te waka.
The car is full.

kia ora

(int) hi, hello, hey.

Kia ora, e te whānau.
Hello, whānau.

Kia ora, e hoa.
Hey, mate.

Kia ora, kei te pēhea koe?
Hi, how are you?

*A more literal translation of *kia ora* is 'be well'.

kia tūpato

(int) be careful.

Kia tūpato, kei hinga koe.
Be careful, you might fall.

Kia tūpato i ngā pō, kaua e haere takitahi.
Be careful at night, don't go alone.

Kia tūpato i te rori.
Be careful on the road.

kihi

(v) to kiss.

Kihi mai, awhi mai.
Kiss me, cuddle me.

I te kihi koe i a wai?
Who were you kissing?

(n) kiss.

I mua, i hongi te Māori, kāore i kihi pēnei me te Pākehā.
In the past, Māori would hongi, they didn't kiss as Pākehā do.

kimi

(v) to seek, search, look for.

Kei te kimi au i aku kī.
I'm looking for my keys.

Me kimi koe i ngā tīwhiri.
You need to search for the clues.

Haere ki te kimi i tāu e manako ai.
Go and seek that which you desire.

kiriāhua

(n) selfie.

Kua hōhā au i te titiro ki ōna kiriāhua i a Pukamata.
I'm over seeing his selfies on Facebook.

Ko ia te kuīni o te kiriāhua.
She is the queen of selfies.

He aha te kiriāhua? He whakaahua ōu nāu anō i whakaahua.
What's a selfie? It's a photo you take of yourself.

kiriata

(n) movie, film.

Kua mātakitaki koe i te kiriata hou?
Have you watched the new film?

He pai ake ki a au te mātakitaki kiriata i te kāinga.
I prefer watching movies at home.

He aha tō tino kiriata?
What's your favourite film?

kiritata

(n) neighbour.

I te pāti anō ngā kiritata inapō.
The neighbours were partying again last night.

Kei te pai ngā kiritata?
Are the neighbours good?

Kātahi anō au ka tūtaki ki ngā kiritata.
I only just met the neighbours.

kōanga

(n) spring.

Whānau ai ngā punua hipi i te kōanga.
Lambs are born in spring.

Ka pua ana te kōwhai, he tohu tēnā kua kōanga.
When the kōwhai blooms, it's a sign that it's spring.

Ka whai te kōanga i te hōtoke.
Spring follows winter.

*Kōanga also means 'planting time'. There is a famous saying – 'Takē kōanga, whakapiri ngahuru' – which means, 'Absent at planting time, close by at harvest'.

koha

(v) to gift, donate, contribute.

I koha mai te manuhiri i ngā kau e rua.
The visitor gifted two beasts.

(n) gift, donation, contribution.

I mua, he kai te koha i runga i te marae, ināianei he pūtea.
In the past, donations on the marae were in the form of food,
now they're monetary.

Me hoko koha ahau mā taku mokopuna.
I need to buy my grandchild a gift.

kōhanga

(n) nest, birthplace.

He kōhanga kei te tuanui o te whare, kei te rongo au i ngā pīpī.
There's a nest in the attic, I can hear the chicks.

Ko Taihape tōku kōhanga.
Taihape is my birthplace.

He rite te Kōhanga Reo ki te kōhanga manu, he wāhi whāngai i te tamariki ki te reo Māori.
Kōhanga Reo is like a bird's nest, it's where children are fed the language.

*Kōhanga Reo or 'Language Nest' is the name for Māori full immersion pre-schools.

kohikohi

(v) to collect, gather.

Kua kohikohi ia i ngā rīhi.
She's collected the dishes.

Kei te kohikohi au i aku whakaaro.
I'm gathering my thoughts.

Mā wai e kohikohi te koha?
Who will collect the koha?

koi

(a) sharp, clever.

Kia tūpato, he koi te māripi.
Be careful, the knife is sharp.

He koi te hinengaro o te tamaiti nei.
This boy is clever.

(n) splinter.

I wero te koi i taku wae.
The splinter pierced my foot.

kōnae

(n) computer file, electronic document.

I riro i a koe te kōnae?
Did you receive the file?

Kei te kōnae ngā kōrero o te hui.
The minutes from the meeting are in the document.

Kua tāpirihia e au ngā kōnae e rua ki tēnei īmēra.
I have attached the two documents to this email.

*A *kōnae* is a small basket woven from flax used to store things, which is also the purpose of an electronic file.

kopa

(n) wallet, purse.

Nāu te kopa nui, te āhua nei māu te haute.
You've got the biggest wallet so it looks like it's your shout.

Kei hea rā taku kopa e ngaro ana?
Where on earth is my wallet?

Homai taku kopa.
Pass my purse.

*Kopa can also mean 'bent' or 'folded' – much like notes in a wallet or purse.

kōpaki

(n) folder, envelope.

Hoatu ngā pūtea ki te kōpaki.
Put the money in the envelope.

Kei hea te kōnae? Kei roto i te kōpaki tuatahi kei te papa mahi.
Where's the file? It's in the first folder on the desktop.

Me whakatika ahau i ngā kōpaki kei taku rorohiko pōnaho.
I need to tidy the folders on my laptop.

kōrero

(v) to talk, speak, say.

Hoihoi, kei te kōrero ahau!
Be quiet, I'm speaking!

Heoi anō tāna ka riwha he kōrero.
All she's good at is talking.

(n) speech, news, conversation, discussion.

Kaitoa! Kua mutu tonu tana kōrero.
Thank goodness! His speech is nearly over.

koroua

(n) elderly man, grandfather.

Ko Charlie taku koroua.
Charlie is my grandfather.

Mō te kōrero paki, kāore he painga i taku koroua.
When it comes to telling jokes, no one beats my grandfather.

Kei te hē haere ngā rā o koroua.
The old fella is losing it.

*Koro is an abbreviation of koroua and a term of address to an older man.

kotahi

(num) one, single, alone.

'Ki te kotahi te kākaho ka whati, ki te kāpuia, e kore e whati.'
'If there is but one toetoe stem it will break, but if they are
bound together they will never break.' (A saying by Kīngi
Tāwhiao)

Kia hia ngā huka? Kia kotahi noa iho.
How many sugars? Just one.

Kotahi anō te whakaaro i tae mai ai tātou katoa.
We all came here with one idea in mind.

kūare

(a) ignorant, unknowing.

He tangata kūare tēnā, kaua e whakarongo atu.
He's ignorant, don't pay him any attention.

(v) to be ignorant, unaware.

E kūare ana ahau ki te reo Hainamana.
I don't know the Chinese language.

(n) ignorant person, ignoramus.

Nā wai te kūare rā i tuku kia kōrero?
Who let that ignoramus speak?

kuhu

(v) to enter, go in.

Kuhu mai.
Come in.

Mā hea au kuhu atu ai?
Which way do I enter?

(v) to join (a group).

Kua kuhu a Tama ki a Ngāti Tūmatauenga.
Tama has joined the New Zealand Army.

kuia

(n) elderly lady, grandmother.

He mea whakapuhi au e taku kuia.
I was spoilt by my grandmother.

Kei te ngutungutu ngā kuia.
The elderly women are gossiping.

Tukuna taku aroha ki tō kuia.
Give my love to your grandmother.

*Kui is an abbreviation of kuia and a term of address for an elderly woman.

Kūkara

(n) Google.

Kei a Kūkara te whakautu ki ngā mea katoa.
Google has the answer to everything.

He tino hoa nōku a Kūkara i te whare wānanga.
Google is a great friend of mine at university.

Ko Kūkara te kete tuawhā o te mātauranga.
Google is the fourth kit of knowledge.

*According to Māori, three kete (woven flax kit) of knowledge were brought down from the heavens and distributed to mankind. These kete contained all forms of knowledge we know today, so some jokingly say that *Kūkara* is the fourth kete.

kupu

(n) word, message, saying.

Kotahi te kupu i ia rā o te tau.
One word, every day of the year.

Kāore te kupu e hoki ki te waha.
Words spoken cannot be retracted.

He aha ngā kupu hou i ākona e koe i tēnei rā?
What new words did you learn today?

kupu huna

(n) password.

He aha te kupu huna?
What's the password?

Kua wareware i a au te kupu huna!
I've forgotten the password!

He nui rawa aku kupu huna.
I have too many passwords.

**Kupu huna
literally means
'hidden word' so
always remember to
keep it hidden but
don't forget it!*

kura

(n) school.

Kua rite koe ki te haere ki te kura?
Are you ready to go to school?

Ko wai tō kura?
What's the name of your school?

(n) valued possession, treasure.

He kura koe.
You're a treasure.

kurī

(n) dog.

He aha oti te kurī rā e auau nei?
Why on earth is the dog barking?

He koi te kurī nei.
This dog is smart.

Kia tūpato ki te kurī.
Be wary of the dog.

kūwaha

(n) doorway, door.

Katia te kūwaha.
Shut the door.

Kei te pātōtō tētahi i te kūwaha.
Someone's knocking at the door.

*Me tuwhera te kūwaha o te wharenui
i te wā o te pōhiri.*
The door of the meeting house must be open when the pōhiri
takes place.

*It's considered extremely rude to leave the *kūwaha* of the wharenui shut when inviting manuhiri onto the marae. The open *kūwaha* lets the manuhiri know that they are welcome, while a closed *kūwaha* says the opposite.

mahere

(n) plan, chart.

He aha te mahere a te rōpū?
What's the group's plan?

Whāia te mahere i oti i a tātou.
Follow the plan we put together.

(n) map, GPS.

Mei kore ake te mahere i taku waea.
Thank God for the GPS on my phone.

mahi

(v) to work.

Kei te mahi te tinana, engari kei te moe tonu ngā mahara.
The body's working, but the mind is still asleep.

(n) job, work.

He aha tō mahi?
What's your job?

E haere ana au ki te mahi.
I'm going to work.

makariri

(a) cold.

Kei te tino makariri tēnei rā.
It's a very cold day.

Kei te makariri ahau.
I'm cold.

He whenua makariri a Ōtepoti.
Dunedin is a cold place.

*Waimakariri, as in the North Canterbury river, translates to 'cold water'.

makau

(n) spouse, lover, favourite (person), object of affection.

Ko wai tō makau hou?
Who's your new lover?

Tāmaki-makau-rau.
Tāmaki of a hundred lovers. (The Māori name for Auckland)

Karekau aku makau.
I'm not attached.

makawe

(n) hair (of the head).

Te roroa hoki o ō makawe!
Your hair is so long!

Herua ō makawe.
Brush your hair.

Kua hina ōku makawe.
My hair's gone grey.

*Makawe is generally used only in the plural and only applies to hair on the head. Pahau is used for facial hair and any hair further south is called huruhuru.

mamae

(a) sore, hurt, be painful.

Kei te mamae taku korokoro.
I have a sore throat.

(n) ache, pain.

Kua mauru ake te mamae.
The pain has subsided.

Kei a koe ētahi pire patu mamae?
Do you have any painkillers?

mana

(n) prestige, authority, control, power, influence, status.

He mana tō te kupu.
Words have power.

He tangata mana nui a Te Rauparaha.
Te Rauparaha was a man of great status.

*Kāore ngā rangatira i whakaae kia tukua
ō rātou mana ki raro i a Kuīni Wikitōria.*
The chiefs did not agree to relinquish their mana to Queen Victoria.

*Mana may belong to a person, place or object. It may be inherited or earnt. It may also increase or diminish through a person's actions.

manaaki

(v) to take care of, give hospitality to, protect, show respect.

Ko koe te mātāmua; me manaaki koe i ō tēina me ō tuāhine.
You're the eldest; you must look after your younger brothers and sisters.

Mā te manaaki i te manuhiri e mau ai te mana o te marae.
By giving hospitality to the visitors, the mana of the marae is upheld.

Manaakitia ō kaumātua.
Take care of your elders.

manu

(n) bird.

He aha tērā momo manu?
What's that type of bird?

Ka rongo au i ngā manu e tangi ana i ia ata.
I hear the birds singing every morning.

He manu te tohu o tēnei whenua, arā, he kiwi.
The emblem of this country is a bird, namely, the kiwi.

manuhiri

(n) visitor, guest.

Nō hea te manuhiri?
Where are the guests from?

Me manaaki te manuhiri.
Look after the visitors.

Ehara koe i te manuhiri, māu anō koe e kuhu.
You're not a visitor, so you can look after yourself.

māra

(n) garden.

Me huhuti au i ngā taru o te māra kai.
I need to weed the vegetable garden.

He aha ngā kai o tō māra?
What food do you have in your garden?

Keria te whenua o te māra.
Turn the soil in the garden.

*A *māra* is a plot of ground under cultivation – that is, a food garden, rather than a flower garden.

marae

(n) the open area in front of the wharenui, the complex of buildings that make up the marae.

Kei hea tō marae? Kei te taha puāwanga o Te Awamutu.
Where is your marae? It's south-west of Te Awamutu.

Kātahi anō ka whakahoungia te wharekai i tō mātou marae.
The dining hall at our marae has just been refurbished.

Ka noho te kura ki te marae o Ngā Wai-o-Horotiu.
The school will stay at Ngā Wai-o-Horotiu marae.

marama

(n) moon, month.

'Whiti te marama i te pō, tiaho iho mai koe hei karu mō te mata o te pō.'
'The moon shines at night, gleaming down like an eye in the night sky.' ('Whiti Te Mārama', composed by Hirini Melbourne)

Ki te āta titiro koe, ka kite koe i a Rona i te marama.
If you look closely, you'll see Rona in the moon.

Ka hūnuku mātou ki Whitianga ā tērā marama.
We're moving to Whitianga next month.

*The traditional Māori calendar follows the phases of the moon, which is why *marama* is both moon and month.

mārama

(a) be clear, light, bright, lucid, understand.

Whakakāngia te rama kia mārama ai taku titiro.
Turn on the light so I can see clearly.

Kia mārama te kōrero.
Speak clearly.

Kei te mārama?
Do you understand?

maroke

(a) dry, boring.

He whenua maroke tēnei.
This is dry country.

Taihoa kia maroke rā anō ngā kākahu, kātahi ka mauria mai ki roto.
Wait until the clothes are completely dry and then bring them inside.

Kātahi te tangata maroke ko tērā!
What a boring fella!

mata

(n) face, screen.

Horoia tō mata.
Wash your face.

Kei te paru te mata o te rorohiko.
The computer screen is dirty.

I taka i a au taku waea, me te aha, kua pīereeretia te mata.
I dropped my phone and now the screen is cracked.

mātakitaki

(v) to watch.

Kei te mātakitaki ahau i a Te Karere.
I'm watching *Te Karere*.

Kāti te mātakitaki i a au.
Stop watching me.

Kua mātakitaki koe i te hōtaka hou?
Have you watched the new series?

mataku

(a) afraid, scared, frightened.

Kaua e mataku.
Don't be afraid.

Mā te mataku ka aha?
What comes of being afraid?

Nā te aha koe i mataku ai?
Why were you scared?

matapihi

(n) window.

Ko ngā kaumātua te matapihi ki ngā rā o nehe.
The elders are a link (window) to the past.

Katia te matapihi.
Shut the window.

Kei te paru te matapihi.
The window is dirty.

mātauranga

(n) knowledge, wisdom, education.

E toru ngā kete o te mātauranga: ko te kete tuauri, ko te kete tuatea, ko te kete aronui.
There are three kits of knowledge: the kit of sacred knowledge, the kit of ancestral knowledge, and the kit of life's knowledge.

E whai mahi ai koe, me whai mātauranga koe.
To get a job you need an education.

He tīmatanga tō te mātauranga, engari kāore ōna otinga atu.
Knowledge has a beginning but no end.

*-ranga as a suffix (as well as others; *-tanga, -hanga, -manga*) is used to turn verbs into nouns: *matau* (to know) and *mātauranga* (knowledge); *whakaatu* (to present) and *whakaaturanga* (presentation).

mate

(s) dead, die.

Kua mate taku kuia.
My grandmother has died.

He nui ngā tāngata i mate i te pakanga.
Many people died at war.

(s) be in want of, lacking, overcome.

'E hine e, hoki mai rā, ka mate ahau i te aroha e.'
'Oh girl, return to me, I am overcome with love.' ('Pōkarekare ana', composed by Paraire Tomoana)

matekai

(a) hungry.

Kei te matekai koe?
Are you hungry?

Kāore au i te matekai, kei te matewai kē au.
I'm not hungry, I'm thirsty.

Kei te nui haere te hunga e matekai ana ki te reo.
More and more people are hungry for the language.

matemoe

(a) tired.

Kei te matemoe ngā tamariki.
The children are tired.

(n) tiredness, drowsiness, sleepiness.

Ko te hītako tētahi tohu o te matemoe.
Yawning is a sign of sleepiness.

Kua pā mai te matemoe.
I'm feeling tired.

matewai

(a) thirsty.

Kei te matewai koe?
Are you thirsty?

E matewai ana ahau, kia haere tāua ki te whakamākūkū i te korokoro.
I'm thirsty, let's go and wet the whistle.

(n) thirst.

Me inu wai māori hei whakanā i te matewai.
Drink water to quench your thirst.

matua

(n) father, dad, parent.

Ko wai tō matua?
Who's your father?

Ko Ciarán te matua o Ria.
Ciarán is Ria's father.

He tangata whakakatakata tō matua.
Your dad is a funny guy.

māuiui

(a) sick, ill, unwell.

Kei te māuiui ngā tamariki.
The children are sick.

Ki te kore koe e tiaki i a koe anō, ka māuiui koe.
If you don't look after yourself, you'll get sick.

Kaua e whakatata mai, kei te māuiui ahau.
Stay back, I'm not well.

maunga

(n) mountain.

Ko Taupiri te maunga, ko Waikato te awa.
Taupiri is the mountain, Waikato is the river.

Ko hea tērā maunga e tū mai rā?
What's the name of that mountain?

Āpōpō mātou piki atu ai i te maunga o Taranaki.
Tomorrow we are going to climb Mt Taranaki.

*So, Mount Maunganui translates to 'big mountain' (nui – big).

mauri

(n) life principle, life force, vital essence.

He mauri tō ngā mea katoa.
Everything has a mauri.

I rongo au i te mauri o tērā wāhi.
I felt the mauri of that place.

Mauri mahi, mauri ora.
A working soul is a healthy soul.

*Mauri, which relates to the physical or living world, differs from wairua, which can still apply after death.

mīharo

(a) amazing, marvellous.

He wāhi mīharo tēnei.
This is an amazing place.

(v) to admire, be astonished, be surprised.

I mīharo atu au ki te rahi o tō rātou whare.
I was astonished at the size of their house.

E mīharo ana au i tae mai ia.
I'm surprised he came.

mihi

(v) to acknowledge, greet, thank.

Mā wai te manuhiri e mihi?
Who will greet the visitors?

Ngā mihi nui.
Many thanks.

Ka nui aku mihi ki a koutou katoa.
I would like to acknowledge you all.

miraka

(n) milk.

Kua mutu taku kai miraka.
I've stopped drinking milk.

Whāngaia te ngeru ki te miraka.
Feed the cat milk.

Kua pau tonu te miraka.
The milk's just about out.

mirimiri

(v) to massage, stroke, rub.

Haere mai ki te mirimiri i aku pokohiwi.
Come and massage my shoulders.

Māu ahau e mirimiri, māku koe e mirimiri.
You massage me and I'll massage you.

(n) massage.

He rongoā anō te mirimiri Māori.
Māori massage is a form of healing.

mīti

(n) meat.

Me kīnaki te mīti ki te wairanu.
You should complement the meat with gravy.

He kaimanga te tangata kāore e kai mīti.
Someone who doesn't eat meat is a vegetarian.

He mīti kau, he rīwai penupenu, he korare ngā kai o te pō.
Dinner is beef, mashed spuds, and greens.

moana

(n) ocean, sea.

E marino ana te moana i tēnei ata.
The ocean is calm this morning.

He motu a Aotearoa e awhia ana e te moana.
New Zealand is an island surrounded by sea.

Ko te toroa te manu mana nui o te moana.
The albatross is the most prestigious bird of the sea.

moe

(v) to sleep.

Turituri! Kei te moe te pēpi.
Quiet! The baby is sleeping.

E hoki ki te moe.
Go back to sleep.

(v) to marry, sleep with, have sex.

Kua moe a Moana i a Clint.
Moana has married Clint.

moemoeā

(v) to dream.

'Me ka moemoeā au, ko au anake. Me ka moemoeā tātou, ka taea e tātou.'
'If I am to dream alone, only I would benefit. If we are to dream together, we can achieve anything.' (Said by Princess Te Puea Hērangi)

(n) dream.

I tino rerekē taku moemoeā inapō.
I had a strange dream last night.

Ko taku moemoeā, kia haere ki tāwāhi mahi ai.
My dream is to travel overseas and work.

moenga

(n) bed.

Whakatikahia tō moenga.
Make your bed.

Ko koe anahe i tō moenga inapō?
Were you alone in your bed last night?

Kāore anō i mātao noa tō moenga, kua moea e tētahi atu.
Your bed hadn't yet gone cold before someone else was in there.

mōhiti

(n) glasses.

Kei whea ōku mōhiti?
Where are my glasses?

Me mau mōhiti au e kite ai ahau.
I need to wear glasses to see.

Kei hea aku kī? Arā! Kuhuna ō mōhiti.
Where are my keys? There! Put your glasses on.

*Mōhiti also means ring or hoop, which is why the traditional round-shaped spectacles were given the name mōhiti.

mokemoke

(a) lonely, solitary.

E mokemoke ana taku ngākau.
I'm lonely.

He whare mokemoke tēnei.
This is a solitary house (uninhabited).

Nā te aha koe i mokemoke ai?
Why are you lonely?

mokopuna

(n) grandchild, grandchildren.

Tokorima aku mokopuna, katoa he kōtiro.
I have five grandchildren, they're all girls.

He mokopuna haututū.
A mischief grandchild.

E pēhea ana ō mokopuna?
How are your grandchildren?

*Mokopuna is commonly abbreviated to moko in English, e.g. Where's your moko?

mōrena

(int) good morning, morning.

Mōrena. I au te moe?
Morning. Did you sleep well?

Mōrena rā, tamariki mā.
Good morning, children.

Mōrena!
Good morning!

motu

(n) island, country (encompassed by water).

Nō te whānau kotahi ngā reo o ngā motu o Te Moana-nui-a-Kiwa.
The languages of the islands of the Pacific Ocean are from the same family.

Kua tae koe ki te motu o Moʻorea kei waho iti atu o Tahiti?
Have you been to the island of Moʻorea just off Tahiti?

Ko Te Ika-a-Māui te ingoa o tētahi motu, ā, ko Te Waka-a-Māui te ingoa o tērā atu.
One of the islands is named The Fish of Māui and the other is The Canoe of Māui.

*Te Ika-a-Māui and Te Waka-a-Māui are the original names for the North and South Islands.

mutu

(v) to cease.

Kāore e mutu taku whakaaro ki a ia.
I can't stop thinking about him.

(s) brought to an end.

Kua mutu te hui.
The meeting has finished.

Ka tīmata te mahi ā te iwa karaka i te ata, ka mutu ā te toru karaka i te ahiahi.
Work starts at 9am and finishes at 3pm.

mutunga wiki

(n) weekend.

Kei hea koe hei tēnei mutunga wiki?
Where are you this weekend?

Nau mai te mutunga wiki!
Bring on the weekend!

Koinei te mutunga wiki tuatahi mō tētahi wā roa e wātea ana au.
This is the first weekend for some time where I'm free.

noa

(a) normal, unrestricted, free from tapu.

He tapu ētahi wāhi, he noa ētahi wāhi.
Some places are restricted and others are unrestricted.

*Kia puta atu koe i te urupā, me tāuhi koe i a koe anō ki te wai kia
noa ai koe.*
When you exit the cemetery, sprinkle yourself with water so
you are free from tapu.

He noa te kai.
Food is free from tapu.

noho

(v) to sit, live, stay.

E noho!
Sit down!

Haere mai ki te noho.
Come and have a seat.

Kei te tuawhenua ahau e noho ana.
I live in the country.

nui

(a) big, large, important.

E toru ngā mea nui; ko te whakapono, te tūmanako, me te aroha.
There are three important things; faith, hope, and love.

Te nui hoki o ō merengi!
Your melons are huge!

Homai te oko nui.
Pass the big bowl.

ngahuru

(n) autumn.

Taka ai ngā rau o ngā rākau i te ngahuru.
The tree leaves fall in autumn.

Ka tīmata te ngahuru i te marama o Poutūterangi, ka mutu hei te Haratua.
Autumn starts in March and ends in May.

Ka whai te hōtoke i te ngahuru.
Winter follows autumn.

*Ngahuru also means harvest time.

ngākau

(n) seat of affections, heart, mind, soul.

E ora ana te ngākau.
I am well in mind and soul.

Ko tōku ngākau, ko tōu ngākau.
My heart is your heart.

He kokonga whare e kitea; he kokonga ngākau e kore e kitea.
A corner of a house may be seen; not so the corners of the
heart.

*Ngākau is rarely used to refer to the physical heart. Manawa is the more common term.

ngaro

(s) lost, out of sight, disappear.

Kua ngaro ahau.
I'm lost.

Kaua e kotiti i te huarahi, kei ngaro koe.
Don't go off the track, you might get lost.

E tangi ana ki ērā kua ngaro i te tirohanga kanohi.
I mourn for those who have passed on (disappeared from sight).

ngāwari

(a) easy, light, simple, gentle.

He mahi ngāwari tēnei.
This is easy work.

Mō te kimi i te huarahi ngāwari, kāore he painga i a koe.
When it comes to finding the easy way, no one beats you.

He wahine ngāwari ia.
She's a gentle woman.

ngāwhā

(n) natural geothermal hot pool, mud pool.

Kāore e ārikarika ngā ngāwhā i te rohe o Rotorua.
The Rotorua area is full of hot pools.

Me kaukau kirikau te tangata i ētahi o ngā ngāwhā.
You have to bathe naked in some of the hot pools.

Mō te kaukau ētahi o ngā ngāwhā, mō te tunu kai ētahi.
Some hot pools are for bathing while others are for cooking food.

ngeru

(n) cat.

E rua aku ngeru, he mōhio hoki ki te reo Māori.
I have two cats; they understand the Māori language.

He pai ake te ngeru, te kurī rānei ki a koe?
Do you prefer cats or dogs?

Whāngaia te ngeru.
Feed the cat.

*The word *ngeru* is derived from the word *ngerungeru*, which means 'smooth', 'soft' or 'sleek'; ideas often associated with the fur of a cat.

ō roke

(int) up yours! get stuffed!

Horoia ngā rīhi! Ō roke! Nāku ngā rīhi i horoi inapō.
Wash the dishes! Get stuffed! I washed the dishes last night.

Maranga! Ō roke, koinei taku rā whakatā.
Get up! Get stuffed, this is my day off.

Waiho mā ngā mea mōhio ki te waiata e waiata. Ō roke!
Leave the singing to those who know how to sing. Up yours!

oho

(v) to wake up, wake.

E oho!
Wake up!

Kua oho te whare.
The household is awake.

Me kōnihinihi tāua, kia kore ai a Pāpā e oho.
We need to sneak so Dad doesn't wake up.

oke

(v) to strive, persist.

Me oke tonu koe i tō oke.
You need to keep on keeping on.

Okea ururoatia, kaua e mate wheke.
Persist like a shark; don't give in easily like an octopus.

E oke!
Keep going!

oma

(v) to run.

Kia tere te oma.
Run fast.

I te taenga mai o te pirihimana, ka oma atu te iwi.
When the police arrived, everyone ran for it.

Kei te haere au ki te oma.
I'm off for a run.

*Oma will be known to many from the te reo Māori version of 'Run Rabbit Run' – 'Oma rāpeti, oma oma oma!'

ora

(v) to be alive, survive.

Nāu au i ora ai.
You saved my bacon.

(a) well, fit, healthy.

Kei te pēhea koe? Kei te ora ahau.
How are you? I'm well.

(n) life, health.

Ko te ora roa me te hari ngā mea tino nui e hiahiatia ana e te tangata.
A long life and happiness are the two main things desired by a person.

pae tukutuku

(n) website.

Mō ētahi atu whakamārama, toro mai ki tā mātou pae tukutuku.
For more information, visit our website.

Kei te pae tukutuku aku pārongo.
My details are on the website.

Tūhono mai ki te pae tukutuku.
Join the website.

*Tukutuku can mean both a lattice (i.e. web-like) pattern and spider web, hence the use above.

pahi

(n) bus.

I haere mai au mā runga pahi.
I came by bus.

He pōturi te pahi, engari he ngāwari te utu.
The bus is slow but it's inexpensive.

He tawhito te pahi nei.
This bus is old.

pai

(a) good.

He tangata pai a Witi.
Witi is a good person.

Kei te pai koe?
Are you okay?

He pai te tūtaki atu ki a koe.
It was good to meet you.

pāinaina

(v) to sunbathe, bask.

Heoi anō tāna, he pāinaina i te rā.
All he's good at is basking in the sun (lying around).

Kua puta au ki te pāinaina me kore e paku pākākā ake ai te kiri.
I'm going to sunbathe in the hope that I might get a slight tan.

Me haere tāua ki tātahi, pāinaina ai.
Let's go to the beach and sunbathe.

pakipaki

(v) to clap (the hands).

Pakipaki mai.
Give us a round of applause.

Kua ako a Pēpi ki te pakipaki.
Baby has learnt to clap.

In Māori, reduplication of the verb denotes repetition or intensity of the action: paki – clap; pakipaki – clap repeatedly.

(n) clapping, applause.

Nā te hoihoi rawa o te pakipaki kāore au i rongo i te reo hī.
I didn't hear the soloist because the clapping was too loud.

pāmu

(n) farm.

Koinei te pāmu a tō mātou whānau.
This is our family farm.

He pāmu whakatētē kau tēnei.
This is a dairy farm.

Kaua māku ngā mahi pāmu; ka waiho tērā mā ētahi atu.
Farm work isn't for me; I'll leave that to others.

pani ārai rā

(n) sunscreen, sunblock.

Kei a wai te pani ārai rā?
Who has the sunblock?

Pania tō mata ki te pani ārai rā, kei rite koe ki te kōura.
Put sunblock on your face or you'll end up looking like a crayfish.

E angiangi ana te pekerangi i runga ake i Aotearoa. Me pani ārai rā, kei tīkākā te kiri i te rā.
The ozone layer over New Zealand is thin. You need sunblock or you'll burn.

pānui

(v) to read.

Pānuitia mai te kōwae tuatahi.
Read the first paragraph to me.

Whakawetongia te pouaka whakaata, kei te pānui au.
Turn off the TV, I'm reading.

(n) notice.

Kua kite koe i te pānui a Tīmoti?
Have you seen the notice from Tīmoti?

pāparakāuta

(n) pub, tavern, hotel.

Ka tū te huritau o Anipiki ki te pāparakāuta.
Anipiki's birthday will be held at the pub.

Ia Paraire, haere ai te tari ki te pāparakāuta.
Every Friday, the office goes to the pub.

Kaua e haere ki te pāparakāuta i te taha o Pētera, he ringa poto hoki.
Don't go to the pub with Pētera, he's tight fisted.

*The word *pāparakāuta* is a transliteration of 'public house', from which the term pub is derived.

parakuihi

(n) breakfast.

Me kai parakuihi koe i ia ata.
You should eat breakfast every morning.

He aha tāu mō te parakuihi?
What did you have for breakfast?

He hēki, he pēkana, he tōtiti, he rahopūru ngā kai mō te parakuihi.
I had eggs, bacon, sausages, and avocado for breakfast.

parāoa

(n) flour, bread.

Haere ki te hoko parāoa mā tāua.
Go and buy some bread for us.

Pania te parāoa ki te pata me te tiamu.
Spread butter and jam on the bread.

Mahia mai he hanawiti ki te parāoa mā.
Make a sandwich with the white bread.

*Parāoa rēwana is Māori yeast bread; parāoa takakau – flat bread (scones); parāoa rimurapa – pasta; parāoa parai – fried bread; parāoa parehe – pizza.

pātai

(v) to ask a question.

Me pātai koe ki te pirihimana.
You should ask the policeman.

(n) question, query.

He pātai tāku.
I have a question.

He aha tō pātai?
What's your question?

*The term 'question mark' translates to *tohu pātai* (tohu means 'symbol', so literally – 'question symbol').

patu

(v) to hit, whack, beat, pound.

Kaua e patu.
Don't hit.

Patua te pōro.
Hit the ball.

Me patu koe i te mīti kia ngohengohe ake ai.
Beat the meat in order to make it tender.

pātuhi

(v) to text.

Māku koe e pātuhi āpōpō.
I'll text you tomorrow.

I pātuhi koe ki tō hoa?
Did you text your friend?

(n) text.

I whiwhi koe i taku pātuhi?
Did you get my text?

peke

(v) to jump.

Kua rongo koe? Kua peke a Hōhepa i te taiapa.
Have you heard? Hōhepa has jumped the fence.

E peke!
Jump!

Kāti te pekepeke i runga i te moenga.
Stop jumping on the bed.

pepa

(n) paper.

Kei a koe ētahi pepa?
Do you have any paper?

Tuhia tō ingoa ki te pepa.
Write your name on the paper.

(n) pepper.

Tēnā koa, homai te pepa.
Pass the pepper, please.

*Both uses above are transliterations of the English – easy to remember!

pepeha

(n) tribal motto, saying or proverb about a tribe.

He aha te pepeha o te iwi nei?
What's this tribe's tribal saying?

Tū mai ki te taki i tō pepeha.
Stand up and recite your pepeha.

Hei tā te pepeha o konei: 'Ko Kakepuku me Pirongia ngā kūwhā o Kahurere.'
As the tribal motto of this area has it:
'Kakepuku and Pirongia are the thighs
of Kahurere (a Tainui ancestress).'

*Pepeha generally refer to tribal landmarks that identify where you come from.

pēpi

(n) baby.

Te pīwari hoki o te pēpi.
The baby is gorgeous.

I whānau mai te pēpi inanahi.
The baby was born yesterday.

Ko wai te ingoa o te pēpi?
What's the baby's name?

pīrangi

(v) to need, want, desire.

Kei te pīrangi koe ki te haere mai?
Do you want to come?

He aha tāu e pīrangi nei?
What do you want?

(n) desire, wish, need.

Ko te pīrangi o te iwi kia whakahokia atu ngā whenua ki a rātou.
The tribe's desire is to have the land returned to them.

pīwari

(a) cute.

Kātahi te tamaiti pīwari ko ia.
He's such a cute child.

He tino pīwari ngā punua ngeru.
The kittens are absolutely cute.

Ko wai te mea pīwari ake?
Who's cuter?

pō

(n) night.

Kaua e haere i te pō.
Don't travel at night.

I puta atu au i te pō rā, ā, e rongo ana au i te mamae i te rā nei.
I went out last night and I'm feeling the pain today.

Kua tau mai ngā pō roa o Pipiri.
The long nights of June are upon us.

pōhiri

(v) to welcome, invite.

Haere ki te pōhiri i ngā manuhiri.
Go and welcome the guests.

Kei te pōhiri au i a koutou ki te whakangahau āpōpō.
I'm inviting you all to the celebration tomorrow.

(n) welcome ceremony, invitation.

*Ka tū te pōhiri ā te iwa karaka
i te ata, ki te kura.*
The pōhiri will be at 9 o'clock
in the morning at the school.

*Pōhiri (also spelled as pōwhiri) are not confined to the marae and can be held almost anywhere. However, the pōhiri does require two parties, the tangata whenua and the manuhiri, to go through a series of long-standing ceremonial rites and processes, such as karanga and whaikōrero.

poi

(n) a ball on a string which is swung or twirled rhythmically to a song.

E ako ana ngā kōtiro ki te piu i te poi
The girls are learning how to swing the poi.

(v) to dance or perform the poi.

Māku e waiata, māu e poi.
I'll sing and you dance the poi.

He pai ake ētahi o ngā tama i ngā kōtiro ki te poi.
Some of the boys are better than the girls at performing the poi.

*Traditionally the poi was used by the men to strengthen their wrists for close quarter combat. Now it's widely performed by the women.

poitarawhiti

(n) netball.

Hei te iwa karaka tīmata ai te kēmu poitarawhiti.
The netball game starts at 9 o'clock.

He poitarawhiti, he whutupōro te karawhiu i Aotearoa.
Netball and rugby are popular in New Zealand.

Ka kino kē a Ruby ki te tākaro poitarawhiti.
Ruby is outstanding at playing netball.

*Another word for netball is netipōro.

pōkarekare

(a) ripple, stir, agitated (of liquid).

'Pōkarekare ana ngā wai o Waiapu.'
'The waters of Waiapu are stirring.'

E pōkarekare ana ngā wai o te ngākau.
My emotions are agitated.

Nā te hau i pōkarekare ai te roto.
The wind stirred the lake's waters.

pōtae

(n) hat.

Kuhuna tō pōtae, kia mahana ai tō upoko.
Put your hat on, to keep your head warm.

Nō wai te pōtae nei?
Whose is this hat?

Tangohia tō pōtae i roto i te whare.
Take your hat off inside the house.

The official Māori name for the Black Caps, our national cricket team, is Ngā Pōtae Pango!

poto

(a) short.

He poto te wā.
Time is short.

He ringa poto ia.
She's stingy (got short hands).

Tokorua aku tamariki, he tāroaroa tētahi, he poto tētahi.
I have two children, one's tall and one's short.

pou

(n) post, pole, pillar, carved post, support.

He pou whakamahara tēnei ki ngā tāngata i haere ki te pakanga.
This is a memorial post to those who went away to war.

I tūtuki te ihu o tana waka ki te pou rama.
His car crashed nose first into the lamp post.

Ko ia te pou o te whānau.
She is the pillar of the family.

pouaka

(n) box.

Te hia taea e koe tēnā pouaka te hiki. Waiho, māku koe e āwhina.
I'm surprised you can lift that box. Leave it, I'll help you.

Me pōkai ngā mea katoa ki roto i ngā pouaka nei.
We need to pack everything into these boxes.

Homai te pouaka.
Pass the box.

*Pouaka makariri (literally, 'cold box') is the term for refrigerator.

pouaka whakaata

(n) TV.

Ka rewha ō karu i te kaha ōu ki te mātakitaki pouaka whakaata.
You'll damage your eyes from watching too much TV.

Whakakahangia te reo o te pouaka whakaata.
Turn the TV up.

Kua hoko ahau i tētahi pouaka whakaata hou, he mata parehe,
e ono tekau mā rima inihi te rahi.
I've bought a new TV; it's a 65-inch flat screen.

pounamu

(n) greenstone.

Ko Te Waipounamu te whenua o te pounamu.
The South Island is home to greenstone.

Hangaia ai te tiki ki te pounamu me te parāoa.
Tiki are made from greenstone and whale bone.

I'm going to buy her a pounamu necklace for her birthday.

*Pounamu is the generic term for New Zealand greenstone. However, there are Māori names for each variety.

pōuri

(a) sad, sorrowful, gloomy, dark.

E pōuri ana au i ō kupu.
I'm saddened by your words.

He aha koe i hoki ai ki te kāinga? He pōuri nōku.
Why did you return home? Because I was feeling sad.

(n) darkness, sadness.

Kei roto i te pōuri te māramatanga e whiti ana.
The potential for enlightenment can be found glimmering in the dark. (A verse from a Ringatū prayer)

pua

(v) to bloom.

Ka pua ana te pōhutukawa, he tohu tērā kua mōmona te kina.
When the pōhutukawa blooms, it's a sign that the kina are fat.

Kei te pua te rākau.
The tree is in bloom.

(n) flower.

Whakamahia ai ngā pua o te kōwhai hei waitae.
The flowers of the kōwhai are used as dye.

Pukamata

(n) Facebook.

Ka whakairi ētahi i ngā mea katoa ki te Pukamata. Te hia kore i whakamā.
Some people put everything on Facebook. Shame (they should be embarrassed).

Tonoa mai au hei hoa i te Pukamata.
Friend request me on Facebook.

Kei tana Pukamata ia i te ao, i te pō.
He's on Facebook day and night.

*The word *Pukamata* sprang up organically from within the Māori speaking community. It's a direct translation of the word 'Facebook'.

pūkana

(v) to stare wildly, dilate the eyes.

Tahi, rua, toru, whā, pūkana!
One, two, three, four, pūkana!

When the group perform the haka, watch the eyes grow wide as they *pūkana*.

(n) dilating of the eyes.

Mā te pūkana e wana ake ai te haka.
The pūkana makes the haka more thrilling.

*Pūkana is performed by men and women when doing haka and waiata to emphasise particular words and add excitement to the performance. The men may also stick their tongue out in what's called a whētero.

pukapuka

(n) book.

Kei te pānui a Cora i tana pukapuka.
Cora's reading her book.

Pēnei i te hoa, me āta whiriwhiri e koe te pukapuka.
Like friends, you should choose books wisely.

Mā te pānui pukapuka e tau ai taku mauri.
Reading a book relaxes me.

puku

(n) stomach, belly.

Kua kī tō puku?
Are you (is your stomach) full?

Kei te raru taku puku.
I have an upset stomach.

Kei te wheti haere taku puku. He kaha nōu ki te kai pia.
I'm getting a pot belly. That's because you drink too much beer.

pūrākau

(n) legend, story, narrative.

*Rangona ai ngā pūrākau mō Māui me āna mahi huhua puta noa
i Te Moana-nui-a-Kiwa.*
The stories about Māui and his many deeds are heard
throughout the Pacific Ocean.

He pūrākau tēnei mō Rona me te marama.
This is a legend about Rona and the moon.

*He tohutohu, he akoranga hoki kei
roto i ngā pūrākau o mua.*
There are instructions and lessons
in the ancient narratives.

*The telling of
pūrākau was a refined
skill, and traditionally,
certain members of society
were groomed to be storytellers.
There are still great storytellers
in Māori communities who
are gifted at retelling the
ancient stories.

purotu

(a) handsome.

He purotu te tungāne o Hera.
Hera's brother is handsome.

Tō purotu hoki!
You're so handsome!

Māku te mea purotu, māu tērā atu.
I'll take the handsome one, you take the other one.

pūtea

(n) money, funds.

Kāore au e puta atu ā te pō nei, me penapena pūtea au.
I won't make it out tonight, I need to save money.

Kāti te whakapau i ō pūtea. Hei aha tāu, nāku āku pūtea!
Stop spending your money. Never mind yours, it's my money!

Me he hōhonu te pūkoro, he tohu tērā he nui te pūtea.
If they have deep pockets, it means they have a lot of money.

rā

(n) sun, day.

Kei te whiti mai te rā.
The sun is shining.

He rā anō āpōpō.
Tomorrow is another day.

He rā anō tēnei, engari ko taua mahi tonu rā.
Same shit, different day.

rahopūru

(n) avocado.

Taihoa kia māoa te rahopūru, kātahi ka kainga ai.
Wait until the avocado is ripe before eating it.

Penupenuhia te rahopūru ki te paoka.
Mash the avocado with a fork.

He nui te utu mō te rahopūru.
Avocado is expensive.

*The term *rahopūru* is made up from two words; *raho* – testicle, and *pūru* – bull: bull's testicles. It does have a striking resemblance. The word avocado is derived from the Aztec word *ahuácatl*, which means testicle.

rākau

(n) tree, stick.

Kei te whakatō rākau te kura i ngā tahataha o te awa.
The school is planting trees on the riverbanks.

Kei te kaha te tupu o te rākau.
The tree is growing well.

Kia tika te whakamahi i tō rākau.
Use your stick wisely.

rākau pūmahara

(n) USB stick.

Hoatu ngā kōnae ki taku rākau pūmahara.
Put the files on my USB stick.

Kei te rākau pūmahara nei ngā kōpaki.
The folders are on this USB stick.

Kuhuna atu te rākau pūmahara ki te rorohiko.
Insert the USB stick into the computer.

rakuraku

(v) to scratch.

Tēnā koa, rakurakua tōku tuarā.
Scratch my back, please.

(n) guitar.

*Rakuraku was coined for the guitar as the strumming of the instrument is akin to a scratching action.

Mauria mai te rakuraku ki te pāti.
Bring the guitar to the party.

Kei te mōhio koe ki te whakatangi i te rakuraku?
Do you know how to play the guitar?

rangatahi

(a) young.

Mahia ngā mahi kei rangatahi ana.
Live life while you are young.

(n) youth, adolescence.

Ko ngā rangatahi ngā rangatira o āpōpō.
The youth are the future leaders.

Ka tū te hui rangatahi āpōpō.
The youth symposium is tomorrow.

rangatira

(n) chief, boss, leader.

Ko wai tō rangatira?
Who's your boss?

Kei waenganui i te iwi te rangatira e ārahi ana.
The chief is amongst the people leading.

Ko te kai a te rangatira, he kōrero.
The food of chiefs is conversation.

*Rangatira can be broken into two words; *ranga* – to weave, and *tira* – a group of people. The responsibility of the *rangatira* is to bring people together.

rangi

(n) sky, day.

Kua mahea ake te rangi.
The sky has cleared.

He rangi kāpuapua.
A cloudy day.

He rangi paihuarere tēnei.
It's a fine day.

rangimārie

(n) peace, tranquillity.

'Te aroha, te whakapono, me te rangimārie, tātou, tātou, e.'
'Love, faith, and peace binds us all together.' ('Te Aroha',
composed by Morvin Simon)

Kia tau te rangimārie ki runga i a koe.
May peace be with you.

He wāhi rangimārie tēnei.
This is a tranquil place.

rangirua

(a) confused, bewildered.

Kua rangirua katoa ahau. Whakamāramahia mai anō.
I'm totally confused. Explain that again.

Whakarongo mai kia kore ai koe e rangirua.
Listen up so you're not confused.

Kei te rangirua tērā, kāore ia e paku mōhio he aha te aha.
That one's confused, she doesn't have the slightest idea what's what.

raranga

(v) to weave.

Kei te ako ia ki te raranga.
He's learning to weave.

Nā ngā kuia i raranga ngā kete me ngā whāriki i mua.
The elderly women wove kits and mats in the past.

Hei raranga kete te harakeke.
Harakeke is used to weave kits.

*Raranga is applied to weaving with flax and other materials, however, *whatu* is the term used for cloak making and hair braiding.

raro

(l) down, below, underneath.

Heke mai ki raro.
Get down.

Kei raro te ngeru i te tūru.
The cat is under the chair.

Kei raro te hoariri e putu ana.
The opposition are down in a heap (losing).

raumati

(n) summer.

Ia raumati, haere ai tō mātou whānau ki Ōhope.
Our family heads to Ōhope every summer.

Nau mai te raumati!
Bring on summer!

Me kai rorerore i tātahi hei tēnei raumati.
We must have a BBQ at the beach this summer.

reka

(a) sweet (to taste or sound), delicious, tasty, yum.

Te reka hoki o te kai.
The food is delicious.

He reo reka tōna.
She has a beautiful voice.

Kia reka, kia poto hoki te kōrero.
Keep it short and sweet.

reo

(n) voice, language.

Kia kaha tō reo.
Speak up (raise your voice).

Kei te ako au i te reo Pāniora.
I'm learning Spanish (the Spanish language).

Kei te whawhango taku reo i tēnei wā.
My voice is hoarse at the moment.

*Te reo Māori is often abbreviated to te reo in English and in Māori.

reo rotarota

(n) sign language.

Nō te tau 2006 i whiriwhiria ai Te Reo Rotarota o Aotearoa hei reo ā-ture tuatoru.
In 2006, New Zealand Sign Language became a third official language.

E toru ngā reo ā-ture o tēnei whenua; ko te reo Māori, ko te reo Pākehā, me Te Reo Rotarota o Aotearoa.
There are three official languages in this country; Māori, English, and NZ Sign Language.

Kei te hiahia ako ahau i te reo rotarota.
I want to learn sign language.

rere

(v) to fly.

Kei te rere mai koe i Te Whanganui-a-Tara?
Are you flying from Wellington?

He māmā ake te utu o te rere i te taraiwa.
It's cheaper flying than it is driving.

Titiro ki ngā manu aute e rere ana i te hau.
Look at the kites flying on the wind.

*In Māori, Cape Reinga is also known as *Te Rerenga Wairua* – literally, 'the flight of the spirits'.

ringaringa

(n) hand, arm.

Pakipaki mai i ō ringaringa.
Clap your hands.

Kua whati taku ringa.
I've broken my arm.

He rau ringa e oti ai te mahi.
Many hands make light work.

*As you can see in these examples, *ringaringa* and *ringa* can be used interchangeably.

ringawera

(n) cook, caterer.

He mihi tēnei ki te ringawera.
Acknowledgements to the cook.

Kua horahia te kai e ngā ringawera.
The cooks have laid the food out.

Āhea tae mai ai ngā ringawera?
When do the caterers arrive?

*Ringawera literally means 'hot hand'.

riri

(a) angry.

Kua riri ahau i a ia.
She's made me angry.

Kaua e riri mai.
Don't be angry with me.

Mā te riri ka aha?
What good will anger do?

rohe

(n) district, region, area.

Koinei te rohe o Ngāti Whātua.
This is the region of Ngāti Whātua.

He nui ngā tāngata e noho ana i te rohe whānui o Tāmaki-makau-rau.
There are a lot of people living in the wider Auckland district.

Kei te rohe o Taranaki a Ngāmotu.
New Plymouth is in the Taranaki area.

rongoā

(n) medicine, cure, remedy, solution.

Kua kai koe i tō rongoā?
Have you taken your medicine?

He tino rongoā te kawakawa ki te Māori.
Kawakawa is a very important medicine to Māori.

He aha te rongoā hei whakatika i tēnei raru?
What is the solution to this problem?

rōpū

(n) group of people.

Tokohia koutou i tō koutou rōpū?
How many people in your group?

Ko wai te ingoa o te rōpū?
What is the name of the group?

Kei te haere tō mātou rōpū waiata ki Tiamani.
Our singing group is going to Germany.

rorirori

(a) crazy, foolish, silly.

Kaua e rorirori.
Don't be silly.

Tō rorirori hoki!
You're cray cray!

Kei te rorirori haere ngā mahara o tērā.
He's losing the plot.

rorohiko

(n) computer.

Kua hoko au i tētahi rorohiko hou māku.
I've bought myself a new computer.

Kei taku rorohiko aku mahi katoa.
All my work is on my computer.

Kua pau te kaha o taku rorohiko.
My computer has run out of power.

*Rorohiko means 'electric brain' (literally, roro – brain, hiko – electricity). Rorohiko pōnaho or 'little computer' is the word for laptop.

roto

(l) inside, in.

Haere mai ki roto.
Come inside.

Hoatu ngā pukapuka ki roto i te pēke.
Put the books in the bag.

(n) lake.

Ko Taupō te roto nui o Aotearoa.
Taupō is the biggest lake in New Zealand.

*Many of the lakes in New Zealand have names that start with the word roto, e.g. Rotorua, Rotoiti and Rotopounamu. The word following roto usually refers to some aspect of that lake.

rūkahu

(v) to tell lies.

Kāti te rūkahu.
Stop lying.

(a) false, untrue.

He rūkahu ngā kōrero a Timi, kaua e aro atu.
What Timi says is untrue, don't pay him any attention.

(n) lie.

Tēnā rūkahu tēnā!
What a load of rubbish!

runga

(1) on, up, upon, above, on top.

Kia tau ngā manaakitanga ki runga i a koe.
May blessings be upon you.

He aha tērā kei runga i te rangi?
What's that up in the sky?

Piki mai ki runga i tōku waka.
Jump in (on) my car.

*Runga is used when speaking about boarding transport. Rather than hopping 'in' a vehicle, you hop on, regardless of whether it's a skateboard, bike, or plane.

tai

(n) tide.

Taihoa kia timu te tai, kātahi tāua ka puta ki te kohi pipi.
Wait until low tide, then we'll go out to collect pipi.

Rona whakamau tai.
Rona (the moon), who controls the tide.

He kōrero i kawea mai e te tai.
A message brought on the tide.

taiao

(n) environment, nature, natural world.

Me tiaki e tātou te taiao mō ngā whakatipuranga kei te heke mai.
We must protect the environment for future generations.

He aha te pānga ki te taiao?
What's the environmental impact?

He ātaahua te taiao i Aotearoa.
New Zealand has a beautiful environment.

taiea

(a) distinguished, classy, notable, formal.

He wahine taiea ia.
She is a notable woman.

Kia taiea te āhua o tō kawe i a koe.
Conduct yourself in a distinguished manner.

Kuhuna ō kākahu taiea.
Put on your formal wear.

taihoa

(int) wait, hold on.

Taihoa e haere!
Don't go yet!

Taihoa, kāore anō au kia rite.
Wait, I'm not quite ready.

Taihoa kia rongo koe i ngā tohutohu.
Wait until you hear the instructions.

tākaro

(v) to play.

Kei te tākaro whutupōro ngā tama.
The boys are playing rugby.

Haere ki waho, tākaro ai.
Go outside and play.

(n) sport, game.

Ko te tino tākaro ki a au, ko te poi pātū.
My favourite sport is squash.

take

(n) cause, root, issue, matter, subject.

He aha te take o tēnei raruraru?
What is the cause of this problem?

He nui ngā take hei whiriwhiri mā tātou.
We have a lot of issues to discuss.

Kua whakatauhia tērā take. Waiho ki rahaki.
That issue has been dealt with. Let it be.

tama

(n) boy, son.

Koinei te tama a Mere.
This is Mere's son.

Kia ora, e tama.
Gidday, boy.

Tama tū, tama ora; tama noho, tama mate.
An active boy will remain healthy while an idle one will become sick.

tamāhine

(n) daughter.

Tokohia ō tamāhine?
How many daughters do you have?

He ātaahua ngā tamāhine a Mārama.
Mārama's daughters are beautiful.

Kei hea tō tamāhine?
Where is your daughter?

*The word for girl, *hine*, is derived from *tamāhine*. When addressing a girl, you can say, 'Kia ora, e hine'.

tamariki

(a) young.

I a au e tamariki ana, he whakarongo te mahi.
When I was young, we listened.

(n) children.

Karangahia mai ngā tamariki kia haere mai ki te kai.
Call the children to come and have something to eat.

Ngā tamariki o te kohu.
The children of the mist. (A term for descendants of Ngāi
Tūhoe, the iwi of Te Urewera)

tāne

(n) man, husband, male partner, boyfriend.

Koinei taku tāne.
This is my husband.

Kua mahue māua ko taku tāne.
My partner and I have separated.

Kua whai tāne hou ahau.
I have a new boyfriend.

*This word is known to many because of Tāne-mahuta, the great kauri tree in Waipoua Forest, Northland.

tangata

(n) person.

Ko wai te tangata rā?
Who is that person?

He tangata pai ia.
He's a good person.

He tokomaha ngā tāngata i te tāone i tēnei rā.
There are a lot of people in town today.

*Note that *tāngata* (i.e. with the macron) pluralises 'person' to become 'people'.

tangata whenua

(n) hosts, local people, indigenous people.

Ko wai te tangata whenua o Heretaunga? Ko Ngāti Kahungunu.
Who are the local people of Hastings? Ngāti Kahungunu.

Ka whakaeke ana koe ki te marae, whāia te kawa o te tangata whenua.
When you go onto the marae, follow the protocol of the local people.

Ko te iwi Māori te tangata whenua o Aotearoa.
The Māori people are the indigenous people of New Zealand.

*Tangata whenua refers to the indigenous people or the original inhabitants of the land.

tangi

(v) to cry, weep, sing (of a bird).

Kāti te tangi.
Stop crying.

Kei te tangi te pēpi.
The baby is crying.

Kei te rongo koe i te korimako e tangi ana?
Can you hear the bellbird singing?

Tangi is often used in English to refer to a *tangihanga* (funeral).

tāone

(n) town, city.

E noho ana ahau i te puku o te tāone.
I live in the middle of the city.

Ki te kimo koe, ka hipa koe i te tāone o Waiouru.
If you blink, you'll miss the town of Waiouru.

Kei te haere au ki te tāone ki te hoko kai.
I'm going to town to buy groceries.

taonga

(n) treasure, prized possession, present, anything highly prized.

He taonga nui te aroha ki te tangata.
Goodwill toward others is a precious treasure.

Me hoko taonga ahau mā taku wahine.
I need to buy my wife a present.

He taonga nui te tūpato.
Caution is highly prized.

tāpoi

(v) to tour, travel around.

Ka tāpoi au i Te Tonga o Amerika mō te kotahi tau, ka tīmata atu i Hiri, ka haere whakateraki ai.
I'm going to travel South America for a year, starting in Chile and then making my way north.

(n) tourism.

Kei te kaha te ahumahi tāpoi Māori i Rotorua.
The Māori tourism industry in Rotorua is pumping.

Ko te pai o te ahumahi tāpoi, he homai mahi, he homai pūtea hoki ki te motu.
The good thing about the tourism industry is that it generates jobs and income for the country.

tapu

(a) sacred, prohibited, restricted, set apart, forbidden.

He wāhi tapu te urupā.
The cemetery is a sacred place.

He tino tapu te tūpāpaku.
The body of the deceased is extremely sacred.

(n) restriction, prohibition.

So that we don't desecrate tapu, it is always best to seek advice.

taputapu

(n) tools, equipment, gear, goods.

Kei te marara ngā taputapu i roto i te wharau.
The tools in the shed are scattered everywhere.

Mauria mai āu ake taputapu.
Bring your own equipment.

Kia mutu tō mahi, whakahokia ngā taputapu ki ngā wāhi e tika ana.
When you're done put the gear back where it belongs.

tarau

(n) trousers, pants.

He roa rawa tō tarau.
Your trousers are too long.

Nōhea te tarau rā e awhe i a koe.
You'll never squeeze into those pants.

He rawe tō tarau.
Nice pants.

*Tarau is always singular in Māori. Hope – 'hips' – is another example. In Māori, you only have one hope.

taringa

(n) ear.

Karohia te tāturi i ō taringa.
Clean your ears. (Literally: 'scoop the wax out of your ears')

Kia areare mai ō taringa.
Listen up (open your ears).

Kāti te patu taringa.
Stop lying. (Literally: 'stop smacking ears')

tātahi

(l) beach, seaside.

Kei tātahi a koroua e pāinaina ana i te rā.
The old guy is at the beach sunbathing.

Me kai rorerore tātou i tātahi.
Let's have a BBQ at the beach.

Kia tūpato i tātahi.
Be careful at the beach.

tātou

(p) we, us (three or more people, including the speaker and the listeners).

He iwi kotahi tātou.
We are one people.

Hoake tātou!
Let's go!

Huihui tātou ka tū,
wehewehe tātou ka hinga.
United we stand,
divided we fall.

*The Māori pronouns referring to two or more people:
- *tāua* – us (two, me and you)
- *māua* – us (two, not you)
- *rāua* – them (two)
- *kōrua* – you (two)
- *mātou* – us (three or more, not you)
- *rātou* – them (three or more)
- *koutou* – you (three or more)
- *tātou* – us (all).

tau

(n) year, season.

Ngā mihi o te tau hou.
Happy New Year.

E mea ana ahau ki te hūnuku ki Rānana ā te tau e heke mai nei.
I'm intending to move to London next year.

Koinei te tau mō te mahi tītī.
This is the season for harvesting muttonbird.

tau waea

(n) phone number.

Kei a koe te tau waea a Hana?
Do you have Hana's phone number?

Māku e pātuhi atu taku tau waea hou.
I'll text you my new phone number.

He waea hou tāku, engari kei a au tonu taua tau waea.
I have a new phone but I still have the same number.

taumaha

(a) heavy, burdensome, serious.

Te taumaha hoki o ēnei pēke! He aha oti kei roto?
These bags are bloody heavy! What the hell have you got in them?

He take taumaha tēnei.
This is serious stuff.

(n) weight.

E 76 manokaramu taku taumaha.
I weigh 76 kilograms.

taumata

(n) peak, summit, level.

I piki mātou ki te taumata o Taranaki, e ono hāora te roa o te haere.
We climbed to the peak of Mt Taranaki, it took us six hours.

Kei taumata kē atu rātou.
They're on another level.

Kei tēhea taumata koe?
What level are you on?

taupānga

(n) app.

Me tikiake koe i te taupānga nei.
You should download this app.

Kua kī taku waea i te taupānga, waihoki kāore e whakamahia te nuinga.
My phone is full of apps and I don't even use most of them.

Me waihanga e tētahi he taupānga e rite ana ki a Pangē hei tūtaki atu ki ngā kaikōrero Māori.
Someone should create an app similar to Tinder to meet Māori speakers.

tautoko

(v) to support, advocate.

Māku koe e tautoko.
I'll support you.

Kei te tautoko koe i a wai?
Who are you supporting?

(int) agreed, I support that! hear, hear!

Me haere kē tātou mā te huarahi matua, koirā te ara poto.
Tautoko!
We should go via the main road, that's the quickest route.
I agree!

teina

(n) younger sibling of the same sex, relatives of a junior line.

Tokotoru aku teina, kotahi taku tuahine.
I have three younger brothers and one sister.

Kaua e whakatoi i tō teina.
Don't tease your younger sibling (of the same sex).

Ko au te teina o ngā mea tāne, engari ehara ahau i te pōtiki o te whānau.
I'm the youngest of the boys, but I'm not the baby of the family.

*Māori place a lot of importance on the relationship between *tuakana* and *teina*. Similar to a buddy system, a *tuakana* is expected to look out for and mentor their *teina*.

teitei

(a) tall, lofty, high.

Kāore e nui ngā whare teitei i Tāmaki-makau-rau.
There aren't many high-rise buildings in Auckland.

Ko te whare tino teitei, ko Te Pourewa Teitei.
The tallest building is the Sky Tower.

Kei runga ake i te awa o Papapuni, e tata ana ki Tāhuna, te tirikohu waehere tino teitei i Aotearoa.
The highest bungee jump in New Zealand is above the Nevis River, near Queenstown.

tēnā koe

(int) greetings (to one person), hello, thank you.

Tēnā koe, e koro.
Thank you, (elderly) sir *or* Hello, sir.

Tēnā koe i tēnei rangi ātaahua.
Greetings to you on this beautiful day.

Tēnā koe i tō īmēra mai.
Thank you for your email.

*When used as a greeting, this is more formal than *kia ora*.

*You use *tēnā kōrua* when addressing two people and *tēnā koutou* when greeting three or more.

tēpu

(n) table.

Kaua e noho i runga i te tēpu.
Don't sit on the table.

Whakaritea te tēpu.
Set the table.

Haere mai ki te tēpu noho ai, ki konei tāua kōrerorero ai.
Come and have a seat at the table, we can talk here.

tere

(a) fast, quick, swift.

Kia tere!
Be quick!

He tere koe ki te oma.
You're fast at running.

He taumaha nō tōna waewae i tere tae atu ai mātou.
We got there swiftly because he's heavy-footed (on the pedal).

tīhau

(v) to tweet, twitter.

Whakarongo ki te pīwaiwaka e tīhau mai ana.
Listen to the fantail twittering over there.

(n) Twitter, tweet (in reference to Twitter).

Kāore i a au te Tīhau.
I don't have Twitter.

I kite au i whakahokia tō tīhau e Sonny Bill Williams.
I saw Sonny Bill Williams replied to your tweet.

tikanga

(n) custom, practice, tradition, norm.

He tikanga āu, he tikanga anō āku.
We each have our own customs.

Ko tētahi tikanga i tōku kāinga, me tango ō hū kātahi ka tomo mai ai.
One practice in my home is that you take off your shoes before you come in.

(n) meaning.

He aha te tikanga o tō kōrero?
What is the meaning of what you said?

tikiake

(v) to download.

Kātahi anō au ka tikiake i te hōtaka hou o te terenga hou.
I only just downloaded the latest episode of the new series.

Ki te nui rawa te taupānga, kaua e tikiake.
If the app is too big, don't download it.

Kei te tikiake au i ngā kōnae i tukuna mai e koe.
I'm downloading the files you sent me.

tīmata

(v) to start, begin.

Toru, rua, tahi, tīmata!
Three, two, one, start!

Tīmata mai i runga, ka heke whakararo.
Start at the top and work your way down.

Nōnahea i tīmata ai tō mahi i konei?
When did you start working here?

tinana

(n) body, physical.

Kotahi anahe tō tinana hei tiaki māu.
You only have one body to take care of.

He māmā te ai i te tinana, engari anō te ai i te hinengaro.
Physical stimulation is easy, it's mental stimulation that proves challenging.

Ko te tinana o te tōtara te wāhanga e hiahiatia ana e ngā kaiwhakairo.
The trunk (body) of the tōtara is the part sought after by carvers.

tino pai

(int) very good.

I tino pai te whakaari inapō.
The theatre last night was very good.

Tino pai tō mahi!
Very good job!

Kei te pēhea koe? Kei te tino pai ahau.
How are you? I'm really good.

TiriAta

(n) YouTube.

I mea au ki te mātakitaki i tētahi ataata kotahi i a TiriAta, mea ake, kua pau te rua hāora.
I intended on watching only one video on YouTube, next thing I know, two hours has passed.

Ki te hiahia ako koe i tētahi mea, toro atu ki a TiriAta.
If you want to learn anything, go to YouTube.

Tūhono mai ki taku hongere TiriAta.
Subscribe to my YouTube channel.

titiro

(v) to look.

Titiro mai.
Look at me.

E titiro ana au i ngā rerenga ki Rarotonga, kei te māmā te utu.
I'm looking at flights to Rarotonga, there's a sale on.

Titiro ki a Erena e takoto noa iho ana, anō nei ko ia te Kuīni.
Look at Erena just lying there, as if she's the Queen.

toa

(v) to win.

Ki te toa koe, māku te haute.
If you win, it's my shout.

(n) warrior, winner, champion.

I mua, he toa whawhai ō tēnā iwi, ō tēnā iwi.
In the past, each tribe had fighting warriors.

Ko wai te toa?
Who's the champ?

*Interestingly, the word toa is used to denote any male animal – e.g. hipi toa translates as ram.

tohumarau

(n) hashtag.

Whakamahia nuitia ai te tohumarau i ngā pae pāpāho pāpori,
pēnei i a Tīhau, i a Pukamata, me Paeāhua.
Hashtags are generally used on social media platforms like
Twitter, Facebook, and Instagram.

Mā te tohumarau e māmā ake ai te kimi i tētahi kaupapa whāiti.
Hashtags make it easier to find a specific theme.

#kotahikupuiterā
#onewordaday

tote

(n) salt.

Homai te tote me te pepa.
Pass the salt and pepper.

Ruia atu he tote.
Add some salt.

He nui rawa te tote i roto i te hupa.
There is too much salt in the soup.

tū

(v) to stand, take place, stop, halt.

E tū.
Stand up *or* Stop.

Kei te tū tonu te hui?
Is the meeting still taking place?

I tū noa iho au ki te whakakī i te waka.
I only stopped to fill the car.

tuahangata

(n) hero, male idol, principal male character.

Ko Māui tētahi o ngā tuahangata o Te Moana-nui-a-Kiwa.
Māui is one of the heroes of the Pacific.

Ko wai te tuahangata o te kiriata? Ko Tangata Pekapeka.
Who is the main male character of the film? Batman.

He tuahangata a Hone Heke i roto i ngā tāhuhu kōrero o te motu nei.
Hone Heke is a familiar hero in the history of this country.

tuahine

(n) sister of a male, female cousin of a male.

He hoa tō tō tuahine?
Is your sister attached?

Kaua e whakapātari i aku karanga tuāhine.
Don't mess with my (female) cousins.

Tēnā koe, tuahine.
Hey, sis.

*If you're a female speaking of your sister you'd use either *tuakana* or *teina* (older or younger sister respectively).

tuakana

(n) older sibling of the same sex, relatives of a senior line.

Mā te tuakana e tōtika ai te teina, mā te teina e tōtika ai te tuakana.
The older and younger siblings keep each other on the straight and narrow.

Kotahi taku tuakana, tokorua aku teina, ā, kotahi anō taku tungāne.
I have one older sister, two younger sisters and one brother.

Waiho mā te tuakana e kōrero.
Let the older sibling speak.

*In Māori there is no one word for siblings. Sibling relationships are identified using the more specific words *tuakana*, *teina*, *tuahine* and *tungāne*.

tuarā

(n) back (body part).

Kei te mamae taku tuarā.
My back is aching.

Kāti te ngau tuarā.
Stop backbiting.

(v) to support, assist.

Māku koe e tuarā.
I've got your back.

tuatahi

(a) first.

Koinei tō rā tuatahi?
Is this your first day?

Kei te papa tuatahi o te whare tōku tari.
My office is on the first floor.

Ko te pukapuka tuatahi a Witi, ko Pounamu, Pounamu.
Witi's first book was *Pounamu, Pounamu.*

tuawahine

(n) heroine, female idol, principal female character.

Ko Hinemoa te tuawahine nāna i kau Te Rotorua-nui-a-Kahumatamomoe ki Mokoia.
Hinemoa is the heroine who swam Lake Rotorua to Mokoia.

Haere he iwi, haere he iwi, kei tēnā, kei tēnā ōna anō tuahangata me ōna anō tuawahine.
Each and every nation has their own male and female heroes.

Ko tuawahine koe.
You're a female star.

tuhi

(v) to write.

E tuhi ana ahau i tētahi rārangi hoko kai.
I'm writing a grocery list.

Tēnā koa, tuhia mai tō ingoa me tō īmēra.
Write down your name and email, please.

Māku e kōrero, māu e tuhi.
I'll speak, you write.

tūmanako

(v) to hope, wish for.

E tūmanako ana au ka tae mai ētahi atu ki te pāti.
I hope some others make the party.

He aha tāu e tūmanako nei?
What do you wish for?

(n) hope, wish.

Kei te puāwai haere aku tūmanako me aku moemoeā.
My hopes and dreams are being fulfilled.

tumeke

(v) to be surprised, shocked, take fright, startled.

I tumeke au i tōku rongonga atu kua hapū a Rāhera.
I got a shock when I heard Rāhera was pregnant.

E tumeke ana au i te pai o tana reo waiata.
I'm surprised he's got such a good voice.

Kaua e hoihoi, kei tumeke te pēpi.
Don't be noisy; the baby might get a fright.

*Tumeke is also a popular modern idiom, being the transliteration of the saying 'too much'.

tuna

(n) eel.

He horotai Māori te tuna.
Tuna is a Māori delicacy.

Ko unagi te kupu Hapani mō te tuna.
Unagi is the Japanese word for tuna.

Kua puta atu ngā tamariki ki te rama tuna.
The kids have gone out to catch eels (by torchlight).

tunu

(v) to cook.

Mā wai te kai o te pō e tunu?
Who's cooking dinner?

Nāku i tunu, nō reira māu e horoi ngā rīhi.
I cooked so you're on the washing up.

Kāore he painga i a ia mō te tunu kai.
He's very good at cooking.

The term *pukapuka tunu kai* means 'cookbook' in English.

tūnga waka

(n) car park.

Karekau he tūnga waka.
There are no car parks.

Ki te moata koe, ka māmā ake te utu o te tūnga waka.
If you're early, the cost for the car park is cheaper.

Kei te kapi ngā tūnga waka e rua i te heahea rā.
That fool's taking up two car parks.

tungāne

(n) brother of a female, male cousin of a female.

Ko tōku tungāne te mea mārire o te whānau.
My brother is the quiet one in the family.

Ko wai te ingoa o tō tungāne?
What's your brother's name?

Karekau aku tungāne.
I don't have any brothers.

*If you are a male speaking of your brother you'd use either *tuakana* or *teina* (older or younger brother respectively).

tupuna

(n) ancestor, grandparent.

'Ehara i te mea nō nāianei te aroha, nō ngā tūpuna, tuku iho, tuku iho.'
'Love is not of recent times; it is from the ancestors, passed down.' (From the song 'Ehara I Te Mea')

He uri tāua nō te tupuna kotahi.
We're descended from the same ancestor.

I peka au ki te toro i aku tūpuna i taku hokinga mai ki te kāinga.
I called in to see my grandparents on my way home.

*Tupuna and tipuna have the same meaning, but dialectical differences. Tupuna is used predominantly on the western side of New Zealand, and tipuna on the eastern side. Adding the macron – tūpuna/ tīpuna – gives the plural form.

tūrangawaewae

(n) standing place, home, a place where one has rights of belonging through whakapapa.

Koinei tōku tūrangawaewae.
This is my home.

'Ko te rangi tōku torona, ko te whenua tōku tūrangawaewae.'
'Heaven is my throne and earth is my footstool.' (Isaiah 66:1)

Ko Ngāruawāhia tōku tūrangawaewae.
Ngāruawāhia is my standing place.

*Tūrangawaewae literally means standing place for the feet. It is the one spot on earth where one can say 'I belong here.' In a Māori worldview, whakapapa is the key to tūrangawaewae. Therefore, the concept is directly linked to marae and ancestral lands. It is the place where my ancestors stood and where my children will stand.

turituri

(v) to be noisy, rowdy, loud.

I te hoihoi tonu ngā kiritata i te toru karaka i te ata nei.
The neighbours were still rowdy at 3am.

(int) be quiet, shut up, hush.

Turituri! Kei te moe te whare.
Be quiet! Everyone (in the house) is asleep.

Turituri koe!
You, be quiet!

tūru

(n) chair, seat.

He tūru anō e wātea ana?
Are there any available chairs?

*Kua puta te pātai: me whakakore rānei, me waiho rānei ngā tūru
Māori i te Whare Pāremata?*
The question has been raised: should the Māori seats in
Parliament be abolished or left alone?

Nō wai tēnei tūru? Nō kore noa iho. Noho mai.
Whose is this chair? No one's. Have a seat.

ua

(v) to rain.

Ka mahue taku hari koti mai, kei te ua ināianei.
I should have brought a jacket, it's raining now.

(n) rain.

Waiho mā te ua e horoi.
Let the rain wash it away.

E pakaru mai ana te ua.
It's raining cats and dogs (it's pouring).

uaua

(a) difficult, hard.

Ehara i te mea he uaua te mahi, engari he takeo.
It's not hard work, it's just tiresome.

He tangata uaua tērā.
She's a difficult person.

(n) difficulty, dilemma, problem, trouble.

He aha te uaua?
What's the dilemma?

upoko

(n) head.

I tuki tō upoko ki te aha?
What did you bang your head on?

He tino tapu te upoko o te tangata.
The head of the person is very sacred.

Upoko kōhua!
Boil your head!

*In Māori custom the head is the most sacred part of the body. The last example is some pretty strong language. However, the strength of the word depends on the aggressiveness of the delivery.

urupā

(n) cemetery, burial ground.

Kaua e kai i roto i te urupā.
Don't eat in the cemetery.

Kei runga i te hiwi te urupā o te whānau.
The family cemetery is on the ridge.

Me tāuhi koe i a koe anō ki te wai i tō putanga i te urupā, kia noa ai koe.
You should sprinkle yourself with water when you exit the cemetery to be free of tapu.

utu

(v) to pay, avenge, respond.

Kua utu koe i te nama?
Have you paid the bill?

(n) price, fee, cost.

Ko te mamae te utu o te aroha.
The price of love is pain.

E hia te utu mō te waina nei?
How much did this wine cost?

wā

(n) time.

Ko te aha te wā?
What's the time?

Kei te herea tātou e te wā.
We're bound by the constraints of time.

Mā te wā.
In due time *or* See you later (farewell).

waea pūkoro

(n) mobile phone, cell phone.

E pai ana kia whakamahia tō waea pūkoro?
Is it okay to use your cell phone?

Kua pau te kaha o taku waea pūkoro.
My cell phone is flat.

Whakangūtia ā koutou waea pūkoro.
Turn your mobile phones on silent.

**Waea pūkoro
literally means
'pocket phone'.*

waewae

(n) leg, foot.

E waru ngā waewae o te pekepeke-haratua.
A daddy-long-legs has eight legs.

Kua whati te waewae o te tamaiti.
The child has broken his leg.

I tūtuki tōku waewae ki te arapiki, tata tonu au ka hinga.
My foot tripped on the step and I nearly fell.

waha

(n) mouth, spokesperson.

Katia tō waha i a koe e kai ana.
Close your mouth when you're eating.

Kāore te kupu e hoki ki te waha.
Words spoken cannot be retracted (words do not return to the mouth).

Ko wai hei waha mō te rōpū?
Who will be the spokesperson for the group?

wāhi

(n) place, location.

Ko hea tēnei wāhi?
What's the name of this place?

He wāhi ātaahua tēnei.
This is a beautiful place.

He wāhi kōrero Māori tēnei kura.
This school is a Māori speaking place.

**Wāhi noho –
address (place of
residence); wāhi
mahi – workplace.*

wahine

(n) woman, female, girlfriend, wife.

Ko te reo o te wahine te reo tuatahi o te marae.
The woman's voice is the first voice on the marae.

He wahine tāu?
Do you have a girlfriend?

He wahine ātaahua ia.
She is a beautiful woman.

*Wahine is singular, while wāhine is plural.

waho

(1) outside.

He karukaru a waho o te whare, engari a roto, ātaahua ake nei.
The outside of the house is shabby, but inside it's absolutely
stunning.

Puta atu ki waho.
Go outside.

E makariri ana a waho.
It's cold outside.

wai

(n) water, liquid.

He wai mōu?
Would you like water?

Kua pau te wai wera.
The hot water has run out.

Kūtēhia te ruha kia riringi mai ai te wai.
Squeeze the water out of the cloth.

*A noun or adjective can be added to *wai* to talk about other forms of liquid: *wai tai* – seawater; *wai māori* – freshwater; *waireka* – fizzy drink; *wai ārani* – orange juice; *waipiro* – alcohol.

waiata

(v) to sing.

Kei te waiata ngā tamariki.
The children are singing.

I waiata te katoa i te waiata ā-motu i mua i te kēmu.
Everyone sang the national anthem before the game.

(n) song.

Koinei tētahi o aku tino waiata.
This is one of my favourite songs.

waiho

(v) to leave, let be.

Waiho kia kotahi hei kai mā tō teina.
Leave one for your younger brother to eat.

Kei hea ngā kī? Te āhua nei i waiho i roto i te whare.
Where are the keys? It looks like I left them in the house.

Waiho atu!
Leave it alone!

waimarie

(a) lucky, fortunate.

Tō waimarie hoki!
You're lucky!

I waimarie koe i te whare petipeti?
Did you get lucky at the casino?

E waimarie ana mātou i tae mai koe.
It's fortunate for us that you arrived.

wairua

(n) spirit, soul.

Ka mate ana te tangata, ka rere tōna wairua ki hea?
When one dies, where does the spirit go?

He ātaahua te wairua o tērā tangata.
That person has a beautiful soul.

(n) feel, mood, feeling, essence, atmosphere.

I pēhea te wairua o te hui? I pai.
How was the mood of the meeting? It was good.

waka

(n) canoe, vehicle, conveyance.

Ko Tainui te waka, ko Hoturoa te tangata.
Tainui is the canoe and Hoturoa is the captain.

Mā hea koe haere mai ai? Mā runga i tōku waka.
How did you get here? In my car.

*He māmā ake te haere mā runga
tereina i ngā ata, nā te pokea o
ngā rori e te nui o te waka.*
It's easier travelling by train in
the mornings because the roads
are overrun with vehicles.

*Here are some
modern types of waka:
• waka rererangi – aeroplane
• waka tūroro – ambulance
• waka tīnei ahi – fire engine
• waka topatopa – helicopter
• waka ātea – spaceship.

wareware

(v) to forget, forgotten.

I wareware ahau ki te raka i te kūwaha.
I forgot to lock the door.

Kaua koe e wareware.
Don't you forget.

(n) forgetfulness.

He taonga te wareware.
Forgetfulness is an asset.

wawata

(v) to desire, long for, yearn for, aspire.

Koinā tāku e wawata nei.
That's what I'm longing for.

(n) aspiration, dream, yearning.

He aha ō wawata mō ngā rā kei te heke mai?
What are your aspirations for the future?

Whāia ō wawata kia tutuki rā anō i a koe.
Pursue your dreams until you achieve them.

wera

(a) hot.

Kia tūpato, kei te wera te wai.
Be careful, the water is hot.

Te wera hoki o te rā.
It's such a hot day.

Kainga te kai kei wera ana.
Eat up, while it's hot.

*The popular swimming spot north of Auckland, Waiwera, literally translates as 'hot water'!

wero

(v) to challenge.

Kāti tō wero mai i a au.
Stop challenging me.

(v) bite, sting (of an insect).

He mea wero taku hoi e te katipō.
My earlobe was stung by a wasp.

(n) challenge at a pōhiri.

Mā Tama e mahi te wero.
Tama can perform the wero.

*The wero is issued before anything else to establish whether the manuhiri, or visitors, come in peace or not.

wiki

(n) week.

Kia pai te wiki.
Have a good week.

Tukua mai ngā mahi i mua i te mutunga o te wiki.
Send through the work before the end of the week.

I tīmata Te Wiki o te Reo Māori i te tau 1975.
Māori Language Week started in 1975.

whaea

(n) mother, aunty.

Ko wai tō whaea? Ko Manu tōku whaea.
Who's your mother? Manu is my mother.

Kei te pēhea tō whaea?
How's your mother?

I karangahia a Kahurangi Whina Cooper ko Te Whaea o Te Motu.
Dame Whina Cooper was called the Mother of the Nation.

whai

(v) to pursue, chase, follow.

E whai ana te ngeru i te kiore.
The cat is chasing the mouse.

Kei te whai noa iho koe i tō ihu.
You're just following your nose.

(v) to be equipped with, have, possess.

Me whai waka koe e haere ai koe i mea wāhi ki mea wāhi.
You must have a vehicle to get from A to B.

whakaahua

(v) to take a photograph.

Māu māua e whakaahua?
Can you take a photo of the two of us?

(n) photograph.

He pai te whakaahua o te whānau.
The photo of the family is nice.

Auē! Kua ngaro katoa ngā whakaahua i taku waea.
Oh no! I've lost all the photos on my phone.

whakaaro

(v) to think, ponder, consider.

Kei te whakaaro au ki te hoko whare.
I'm thinking about buying a house.

(n) thought, idea, opinion.

He pēhea ō whakaaro?
What are your thoughts?

He whakaaro tōku.
I have an idea.

whakairo

(v) to carve.

Nā wai tēnei wharenui i whakairo?
Who carved this meeting house?

Kei te ako taku tama ki te whakairo.
My son is learning to carve.

*The term tohunga whakairo translates to 'master carver'.

(n) carving.

Kei te tawhito haere ngā whakairo o waho i te whare.
The carvings on the outside of the house are getting old.

whakamā

(a) shy, embarrassed.

Kaua e whakamā ki te kōrero.
Don't be embarrassed to speak.

Ka whakamā ia i waenganui i te tauhou.
He is shy around strangers.

He aha koe i whakamā ai?
Why were you embarrassed?

whakangahau

(v) to entertain, amuse.

Ka tū mai te pēne ākuanei ki te whakangahau i te whakaminenga.
The band will be up soon to entertain the crowd.

He pai ia ki te kōrero paki me te whakangahau i te tangata.
She's good at telling jokes and entertaining people.

(n) entertainment, celebration, party.

Kei te haere koe ki te whakangahau ā te pō nei?
Are you going to the celebration tonight?

whakapai

(v) to make good, tidy, set in order, prepare.

Me whakapai koe i tō moenga.
You need to make your bed.

Whakapaitia te tēpu.
Set the table.

Kei te aha koe ā te mutunga wiki nei? Kei te whakapai noa iho i te whare.
What are you doing this weekend? Just tidying the house.

whakapapa

(n) genealogy, family tree.

He mea nui te whakapapa.
Genealogy is important.

Kei roto i ngā whakapapa tō tāua hononga ki a tāua.
Our connection to each other lies in our genealogy.

Kei tō koroua ngā pukapuka whakapapa o te whānau.
Your grandfather has the family genealogy books.

whakapono

(v) to trust, believe.

Kāore au e whakapono ana ki a koe.
I don't believe you.

Whakapono mai ki a au.
Trust me.

(n) faith, belief.

I tere tahuri ngā tūpuna Māori ki te hāpai i te whakapono Karaitiana.
The Māori ancestors quickly turned to uphold the Christian faith.

whakarite

(v) to prepare, organise, arrange.

Me whakarite koe i a koe anō i mua i te uiui.
You need to prepare yourself before the interview.

Kaua e māharahara, kua whakaritea ngā mea katoa.
Don't worry, everything has been organised.

Mā wai e whakarite te rārangi kaupapa?
Who will arrange the agenda?

whakarongo

(v) to listen.

Whakarongo mai.
Listen up.

E whakarongo ana koe ki te aha?
What are you listening to?

Whakarongo ki ō mātua.
Listen to your parents.

whānau

(v) to be born.

I whānau mai koe i hea?
Where were you born?

(n) family.

E pēhea ana te whānau?
How is the family?

Tēnā koutou, e te whānau.
Hello, everyone (family).

*Whānau is also a common term of address to a number of people who may not have any kinship ties to each other but who are gathered together as friends or for a common purpose; 'Kia ora, e te whānau.'

whanaunga

(n) relative, relation, cousin.

Kei te pēhea koe, e te whanaunga?
How are you, cousin?

He whanaunga a Moana ki a au i te taha o tōku whaea.
Moana is a relative of mine on my mother's side.

Kei wareware koe ki te tuku pōhiri ki ō whanaunga.
Don't forget to send invites to your relations.

whāngai

(v) to feed, adopt.

Kua whāngai koe i te kurī?
Have you fed the dog?

Kei te hiahia māua ki tētahi tamaiti hei whāngai mā māua.
We want to adopt a child.

(n) foster child, adopted child.

He whāngai ahau nā Marata rāua ko Timi.
I'm the adopted child of Marata and Timi.

whare

(n) house.

Nau mai ki tōku whare.
Welcome to my house.

Koinei te whare i tupu mai ai au.
This is the house I grew up in.

He whare pāti tō rātou.
Their house is a party house.

*The wharenui or whare puni is the meeting house on the marae.

whare wānanga

(n) traditional school of learning, university.

I mua, i āta whiriwhiria te hunga ka noho hei ākonga i roto i te whare wānanga.
In the past, those who entered the traditional house of learning as students were carefully selected.

Mutu ana te kura, ka aha koe? Ka haere au ki te whare wānanga.
What will you do after school? I'll go to university.

Kei tēhea whare wānanga koe e ako ana? Kei Te Whare Wānanga o Te Upoko-o-te-Ika-a-Māui i Te Whanga-nui-a-Tara.
What university are you studying at? I'm at Victoria University in Wellington.

whare whakapakari tinana

(n) gym.

Ahakoa te kaha ōku ki te haere ki te whare whakapakari tinana, kei te pēnei tonu te āhua o taku tinana.
No matter how many times I go to the gym, my body still looks like this.

Kua tūhono atu au ki tētahi o ngā whare whakapakari tinana o konei.
I've joined a gym here.

Me kaha ake taku haere ki te whare whakapakari tinana.
I need to go to the gym more.

wharekai

(n) restaurant, dining hall.

Kei te haere māua ko Mariu ki tētahi wharekai Hapani.
Mariu and I are going to a Japanese restaurant.

Haere ki te āwhina i ngā kōtiro i roto i te wharekai.
Go and help the girls in the dining hall.

Kātahi anō ka whakahoutia te wharekai o tō mātou marae.
Our marae dining hall has just been refurbished.

wharepaku

(n) toilet.

Kei hea te wharepaku?
Where is the toilet?

E pai ana kia haere au ki te wharepaku?
May I go to the bathroom?

Kaua e roa i roto i te wharepaku, he mahi tāu.
Don't be long in the toilet, you have work to do.

*This term literally translates to 'small house' (what used to be called the 'out house').

whawhai

(v) to fight.

Kāti te whawhai.
Stop fighting.

I tīmata i te taupatupatu, mea ake i te whawhai rāua!
It started as an argument, next minute they're fighting!

(n) fight, skirmish, conflict.

Ka mātakitaki koe i te whawhai hei te Rāmere?
Are you going to watch the fight on Friday?

whenua

(n) afterbirth.

I tanumia te whenua o tā māua pēpi i runga i ngā whenua o ōna tūpuna.
We buried our baby's afterbirth on her ancestral lands.

(n) land.

Toitū te whenua, whatungarongaro te tangata.
The land remains while people disappear.

Koinei ngā whenua o Ngāti Te Ata.
These are the lands of Ngāti Te Ata.

whetū

(n) star.

Ko Matariki te whetū o te tau.
Matariki is the star of the year.

E iwa ngā whetū ka kitea i te huihui o Matariki.
There are nine visible stars in the constellation of Matariki.

Arā tētahi whetū e rere ana, he auahiroa pea.
There's a shooting star, maybe it's a comet.

whiti

(v) to shine.

Mōrena, kei te whiti te rā.
Good morning, the sun is shining.

E whiti ana te marama.
The moon is shining.

(v) to cross over.

He aha te heihei i whiti ai i te rori? Kia tae ai ki tērā atu taha.
Why did the chicken cross the road? To get to the other side.

whutupōro

(n) rugby.

Ko te whutupōro te hākinakina nui i Aotearoa.
Rugby is the most popular sport in New Zealand.

*Ka kino te umere a te hunga mātakitaki i te whutupōro i te
rironga o te piro.*
The rugby spectators roared when a goal was scored.

*Kāore au i tākaro whutupōro i a au i te kura, i tākaro kē au i te
poitūkohu.*
I didn't play rugby when I was at school, I played basketball
instead.

English–Māori Index

able	*kaha*	aunty	*whaea*	book	*pukapuka*
above	*runga*	authority	*mana*	boring	*hōhā, maroke*
ache	*mamae*	autumn	*ngahuru*	born (to be)	*whānau*
acknowledge	*mihi*	avenge	*utu*	boss	*rangatira*
adolescence	*rangatahi*	avocado	*rahopūru*	box	*pouaka*
adopt, adopted	*whāngai*	baby	*pēpi*	boy	*tama*
advocate	*tautoko*	back (body part)	*tuarā*	boyfriend	*ipo, tāne*
afraid	*mataku*	ball on a string	*poi*	bread	*parāoa*
afterbirth	*whenua*	banquet	*hākari*	breakfast	*parakuihi*
agitated (liquid)	*pōkarekare*	bask	*pāinaina*	bright	*mārama*
agree	*tautoko*	basket	*kete*	brother	*tungāne*
alive	*ora*	beach	*tātahi*	burdensome	*taumaha*
all good	*ka pai*	beat	*patu*	burial ground	*urupā*
alone	*kotahi*	beautiful	*ātaahua*	bus	*pahi*
amazing	*mīharo*	bed	*moenga*	buy	*hoko*
amuse	*whakangahau*	begin	*tīmata*	call (to)	*karanga*
ancestor	*tupuna*	belief	*whakapono*	canoe	*waka*
angry	*riri*	belly	*puku*	captain	*kaiārahi*
anniversary	*huritau*	below	*raro*	car park	*tūnga waka*
annoying	*hōhā*	benefit	*hua*	careful (be)	*kia tūpato*
anxiety	*āmaimai*	beverage	*inu*	caretaker	*kaitiaki*
app	*taupānga*	bewildered	*rangirua*	carve, carving	*whakairo*
applause	*pakipaki*	big	*nui*	carved post	*pou*
area	*rohe*	bird	*manu*	cat	*ngeru*
arm	*ringaringa*	birthday	*huritau*	caterer	*ringawera*
aroma	*kakara*	birthplace	*kōhanga*	cause	*take*
arrange	*whakarite*	bite	*wero*	cease	*kāti, mutu*
aspire	*wawata*	blessing	*karakia*	celebration	*hākari,*
assist	*āwhina, tuarā*	bloom	*pua*		*whakangahau*
astonish	*mīharo*	board (a vehicle)	*eke*	cell phone	*waea pūkoro*
atmosphere	*wairua*	body	*tinana*	cemetery	*urupā*

chair	*tūru*
challenge	*wero*
champion	*toa*
chart	*mahere*
chase	*whai*
chief	*rangatira*
children	*tamariki*
city	*tāone*
clan	*hapū*
clap (the hands)	*pakipaki*
classy	*taiea*
clean	*horoi*
clear	*mārama*
clever	*koi*
clothes, clothing	*kākahu*
coffee	*kawhe*
cold	*makariri*
collect	*kohikohi*
come	*haere*
come here	*haere mai*
community	*hapori*
companion	*hoa*
compassion	*aroha*
computer	*rorohiko*
computer file	*kōnae*
conflict	*whawhai*
confused	*rangirua*
consider	*whakaaro*
contribute	*koha*
control	*mana*
conversation	*kōrero*
conveyance	*waka*
cook	*ringawera, tunu*
copulate	*ekeeke*
cost	*utu*
country	*motu*
courageous	*kaha*
cousin	*tuahine, tungāne, whanaunga*
cow	*kau*
crazy	*rorirori*
cross over	*whiti*
cry	*tangi*
cuddle	*awhi*
cup of tea	*kaputī*
cure	*rongoā*
custom	*tikanga*
cute	*pīwari*
dad	*matua*
dance	*kanikani*
dark	*pōuri*
darling	*ipo*
daughter	*tamāhine*
day	*rā, rangi*
dead, die	*mate*
delicious	*reka*
desire	*pīrangi, wawata*
difficult	*uaua*
dilate (the eyes)	*pūkana*
dilemma	*uaua*
dining hall	*wharekai*
disappear	*ngaro*
discussion	*kōrero*
disobedient	*haututū*
distinguished	*taiea*
district	*rohe*
dog	*kurī*
don't	*kaua*
donate	*koha*
door, doorway	*kūwaha*
down	*raro*
download	*tikiake*
dream	*moemoeā, wawata*
drink	*inu*
drink alcohol	*haurangi*
drive (a vehicle)	*hautū*
drowsiness	*matemoe*
drunk	*haurangi*
dry	*maroke*
ear	*taringa*
earth oven	*hāngī*
easy	*ngāwari*
eat	*kai*
education	*mātauranga*
eel	*tuna*
elder	*kaumātua, koroua, kuia*
electricity	*hiko*
electronic document	*kōnae*
email	*īmēra*
embark	*eke*
embarrassed	*whakamā*
embrace	*awhi*
enemy	*hoariri*
enough	*kāti*
enter	*kuhu*
entertain	*whakangahau*
envelope	*kōpaki*
environment	*taiao*
equipment	*taputapu*
equipped	*whai*
essence	*wairua*
excited, excitement	*āritarita, ihi*
face	*mata*
Facebook	*Pukamata*
faith	*whakapono*
false	*rūkahu*
family	*whānau*
family tree	*whakapapa*
farewell	*haere rā, e noho rā*

farm	*pāmu*	fright, frightened	*mataku,*	grandparent	*tupuna*
fast	*tere*		*tumeke*	greenstone	*pounamu*
father	*matua*	fruit	*huarākau*	greet	*mihi, tēnā koe*
favourite (person)	*makau*	full	*kī*	greeting	*hongi*
feast	*hākari*	funds	*pūtea*	group (of people)	*rōpū*
fed up	*hōhā*	gain	*hua*	guard, guardian	*kaitiaki*
fee	*utu*	game	*kēmu, tākaro*	guest	*manuhiri*
feed	*whāngai*	garden	*māra*	guide	*hautū*
feel, feeling	*wairua*	garment	*kākahu*	guitar	*rakuraku*
female	*wahine*	gather	*kohikohi*	gym	*whare whakapakari*
few	*iti*	gathering	*hui*		*tinana*
fight	*whawhai*	gear	*taputapu*	hair (of the head)	*makawe*
film	*kiriata*	genealogy	*whakapapa*	halt	*tū*
finish	*mutu*	gentle	*ngāwari*	hand	*ringaringa*
first	*tuatahi*	get stuffed	*ō roke*	handsome	*purotu*
fish	*ika*	gift	*koha*	happy	*harikoa*
fit	*ora*	girlfriend	*ipo, wahine*	hard	*uaua*
flour	*parāoa*	give	*hoatu, homai*	hashtag	*tohumarau*
flower	*pua*	give (hospitality)	*manaaki*	hat	*pōtae*
fly (to)	*rere*	give it heaps	*karawhiua*	have	*whai*
folder	*kōpaki*	glasses	*mōhiti*	head	*upoko*
follow	*whai*	gloomy	*pōuri*	health	*hauora, ora*
food	*kai*	go	*haere*	hear, hear!	*tautoko*
food cooked in		go away	*haere atu*	heart	*ngākau*
the ground	*hāngī*	go hard	*karawhiua*	heavy	*taumaha*
foolish	*rorirori*	go in	*kuhu*	hello	*kia ora, tēnā koe*
foot	*waewae*	good	*ka pai, pai*	help	*āwhina*
forbidden	*tapu*	good job	*kaitoa*	hero	*tuahangata*
forget	*wareware*	good morning	*mōrena*	heroine	*tuawahine*
formal	*taiea*	goodbye	*e noho rā,*	high	*teitei*
formal call in ceremonial			*haere rā, hei konā*	highly prized	*taonga*
welcome	*karanga*	goods	*taputapu*	hit	*patu*
fortunate	*waimarie*	Google	*Kūkara*	hold on	*taihoa*
foster child	*whāngai*	GPS	*mahere*	home	*kāinga,*
foul smell	*haunga*	grandchild	*mokopuna*		*tūrangawaewae*
free (from tapu)	*noa*	grandfather	*koroua*	hope	*tūmanako*
friend	*hoa*	grandmother	*kuia*	horse	*hōiho*

hosts	*tangata whenua*	knowledge	*mātauranga*	make good	*whakapai*
hot	*wera*	lacking	*mate*	male partner, man	*tāne*
hot pool	*ngāwhā*	lake	*roto*	map	*mahere*
hotel	*pāparakāuta*	land	*whenua*	march (protest)	*hīkoi*
house	*whare*	language	*reo*	marry	*moe*
hug	*awhi*	large	*nui*	marvellous	*mīharo*
hungry	*matekai*	last night	*inapō*	massage	*mirimiri*
hurt	*mamae*	laugh	*kata*	mate (friend)	*hoa*
husband	*tāne*	lead	*hautū*	matter	*take*
hush	*turituri*	leader	*kaiārahi, rangatira*	meaning	*tikanga*
I don't know	*aua*	learn	*ako*	meat	*mīti*
I support that	*tautoko*	leave, let be	*waiho*	medicine	*rongoā*
ice cream	*aihikirīmi*	leg	*waewae*	meeting	*hui*
idea	*whakaaro*	legend	*pūrākau*	message	*kupu*
idol	*tuahangata,*	level	*taumata*	milk	*miraka*
	tuawahine	lie	*rūkahu*	mind	*ngākau*
ignoramus, ignorant	*kūare*	life	*ora*	mischievous	*haututū*
ill	*māuiui*	life force/principle	*mauri*	mobile phone	*waea pūkoro*
important	*nui*	light	*mārama, ngāwari*	money	*pūtea*
in, inside	*roto*	lightning	*hiko*	month	*marama*
indigenous people	*tangata*	liquid	*wai*	mood	*wairua*
	whenua	listen	*whakarongo*	moon	*marama*
influence	*mana*	live	*noho*	morning	*mōrena*
internet	*ipurangi*	local people	*tangata whenua*	mother	*whaea*
intoxicated	*haurangi*	location	*wāhi*	mount	*eke*
invite, invitation	*pōhiri*	lofty	*teitei*	mountain	*maunga*
iPad	*īPapa*	lollies	*āwenewene*	mouth	*waha*
island	*motu*	lonely	*mokemoke*	movie	*kiriata*
issue	*take*	long for (yearn)	*wawata*	mud pool	*ngāwhā*
jandal	*hū pakipaki*	look	*titiro*	name	*ingoa*
job	*mahi*	look for	*kimi*	narrative	*pūrākau*
join (a group)	*kuhu*	lost	*ngaro*	nation	*iwi*
journey	*haere*	loud	*turituri*	natural world, nature	*taiao*
joyful	*harikoa*	love	*aroha*	naughty	*haututū*
jump	*peke*	lover	*ipo, makau*	need	*pīrangi*
kiss	*kihi*	lucid	*mārama*	neighbour	*kiritata*
kit	*kete*	lucky	*waimarie*	neighbourhood	*hapori*

nerves, nervous	*āmaimai*	peace	*rangimārie*	proverb	*pepeha*
nest	*kōhanga*	peak	*taumata*	pub	*pāparakāuta*
netball	*poitarawhiti*	people	*iwi*	purchase	*hoko*
news	*kōrero*	pepper	*pepa*	purse	*kopa*
night	*pō*	persist	*oke*	pursue	*whai*
no	*kāore*	person	*tangata*	putrid	*haunga*
noisy	*turituri*	phone number	*tau waea*	query, question	*pātai*
norm	*tikanga*	photograph	*whakaahua*	quick	*tere*
normal	*noa*	physical	*tinana*	quiet	*turituri*
nose	*ihu*	pillar	*pou*	race	*iwi*
not bad	*autaia*	place	*wāhi, tūrangawaewae*	rain	*ua*
notable	*taiea*	plan	*mahere*	read (to)	*pānui*
notice	*pānui*	play	*tākaro*	region	*rohe*
object of affection	*makau*	pole, post	*pou*	relative,	
ocean, sea	*moana*	politician	*kaitōrangapū*	relation	*teina, tuakana,*
oh dear!, oh heck!,		ponder	*whakaaro*		*whanaunga*
oh no!	*auē*	possess	*whai*	remedy	*rongoā*
on, on top	*runga*	posture dance	*haka*	respond	*utu*
one	*kotahi*	pound	*patu*	restaurant	*wharekai*
open area in front		power	*ihi, mana*	restricted, restriction	*tapu*
of the wharenui	*marae*	prayer	*karakia*	result	*hua*
opinion	*whakaaro*	prepare	*whakapai, whakarite*	ride	*eke*
opponent	*hoariri*	present	*taonga*	ripple	*pōkarekare*
organise	*whakarite*	prestige	*mana*	river	*awa*
out of sight	*ngaro*	pretty good	*autaia*	road	*huarahi*
outcome	*hua*	price	*utu*	root	*take*
outside	*waho*	principal female		rowdy	*turituri*
over there	*arā*	character	*tuawahine*	rub	*mirimiri*
overcome	*mate*	principal male		rugby	*whutupōro*
pain, painful	*mamae*	character	*tuahangata*	run	*oma*
pants	*tarau*	prized possession	*taonga*	sacred	*tapu*
paper	*pepa*	problem	*uaua*	sad, sadness	*pōuri*
parent	*matua*	product	*hua*	salt	*tote*
party	*whakangahau*	programme	*hōtaka*	say	*kōrero*
password	*kupu huna*	prohibited	*tapu*	saying	*kupu, pepeha*
path	*huarahi*	protect	*manaaki*	scared	*mataku*
pay	*utu*	protocol	*kawa*	scent	*kakara*

school	*kura,*	sleep	*moe*	strive	*oke*
	whare wānanga	sleepiness	*matemoe*	stroke	*mirimiri*
scratch	*rakuraku*	small	*iti*	strong	*kaha*
screen	*mata*	smelly	*haunga*	student	*ākonga*
search	*kimi*	sniff	*hongi*	subject	*take*
seaside	*tātahi*	snow	*huka*	sub-tribe	*hapū*
season	*tau*	solitary	*mokemoke*	sugar	*huka*
seat	*tūru*	solution	*rongoā*	summer	*raumati*
seat of affections	*ngākau*	son	*tama*	summit	*taumata*
see you later	*hei konā*	song	*waiata*	summon	*karanga*
seek	*kimi*	sore	*mamae*	sun	*rā*
selfie	*kiriāhua*	sorrowful	*pōuri*	sunbathe	*pāinaina*
series	*hōtaka*	soul	*ngākau, wairua*	sunblock	*pani ārai rā*
serious	*taumaha*	speak, speech	*kōrero*	support	*pou, tautoko, tuarā*
set apart	*tapu*	speaker	*kaikōrero*	surprised	*mīharo, tumeke*
set in order	*whakapai*	spirit	*wairua*	survive	*ora*
sex	*ekeeke, moe*	splinter	*koi*	sweet (taste or sound)	*reka*
sharp	*koi*	spokesperson	*kaikōrero,*	sweet (smell)	*kakara*
sheep	*hipi*		*waha*	sweets	*āwenewene*
shine	*whiti*	sport	*tākaro*	swift	*tere*
shocked	*tumeke*	spouse	*makau*	swim	*kaukau*
shop (to)	*hoko*	spring	*kōanga*	sympathy	*aroha*
short	*poto*	stand	*tū*	table	*tēpu*
show respect	*manaaki*	standing		take care of	*manaaki*
shut up	*turituri*	place	*tūrangawaewae*	take place	*tū*
shy	*whakamā*	star	*whetū*	take that!	*kaitoa*
sibling	*teina, tuakana*	stare wildly	*pūkana*	talk	*kōrero*
sick	*māuiui*	start	*tīmata*	tall	*teitei*
sign language	*reo rotarota*	startled	*tumeke*	tasty	*reka*
silly	*rorirori*	status	*mana*	tavern	*pāparakāuta*
simple	*ngāwari*	stay	*noho*	teach	*ako*
sing	*tangi, waiata*	stick	*rākau*	teacher	*kaiako*
single	*kotahi*	sting (of an insect)	*wero*	text message	*pātuhi*
sister	*tuahine*	stir	*pōkarekare*	thank (to)	*mihi*
sit	*noho*	stomach	*puku*	thank goodness	*kaitoa*
skirmish	*whawhai*	stop	*kāti, tū*	thank you	*tēnā koe*
sky	*rangi*	story	*pūrākau*	there	*arā*

think, thought	*whakaaro*	up yours!	*ō roke*	window	*matapihi*
thirst, thirsty	*matewai*	us	*tātou*	winter	*hōtoke*
thrill	*ihi*	USB stick	*rākau pūmahara*	wisdom	*mātauranga*
tide	*tai*	valued possession	*kura*	wish	*pīrangi, tūmanako*
tidy	*whakapai*	vegetables	*huawhenua*	woman	*wahine*
time	*wā*	vehicle	*waka*	word	*kupu*
tired, tiredness	*matemoe*	very good	*tino pai*	work	*mahi*
toilet	*wharepaku*	village	*kāinga*	write	*tuhi*
tomorrow	*āpōpō*	visitor	*manuhiri*	year	*tau*
tools	*taputapu*	vital essence	*mauri*	yearn	*wawata*
tour, tourism	*tāpoi*	voice	*reo*	yes	*āe*
town	*tāone*	wait	*taihoa*	yesterday	*inanahi*
trade (to)	*hoko*	wake	*oho*	young	*rangatahi, tamariki*
tradition	*tikanga*	walk	*hīkoi*	youth	*rangatahi*
tranquillity	*rangimārie*	wallet	*kopa*	YouTube	*TiriAta*
travel	*haere*	want	*pīrangi*	yum	*reka*
travel around	*tāpoi*	warrior	*toa*		
treasure	*kura, taonga*	wash	*horoi*		
tree	*rākau*	watch (to)	*mātakitaki*		
tribal motto	*pepeha*	water	*wai*		
tribe	*iwi*	we	*tātou*		
trip	*haere*	weave	*raranga*		
trouble	*uaua*	website	*pae tukutuku*		
troublesome	*haututū*	week	*wiki*		
trousers	*tarau*	weekend	*mutunga wiki*		
trust	*whakapono*	weep	*tangi*		
TV	*pouaka whakaata*	weight	*taumaha*		
tweet, twitter,		welcome	*haere mai*		
Tweet	*tīhau*	welcome ceremony	*pōhiri*		
unaware, unknowing	*kūare*	well	*ora*		
underneath	*raro*	well done	*ka pai*		
understand	*mārama*	wellbeing	*hauora*		
university	*whare wānanga*	whack	*patu*		
unrestricted	*noa*	whitebait	*inanga*		
untrue	*rūkahu*	wife	*wahine*		
unwell	*māuiui*	win, winner	*toa*		
up, upon	*runga*	wind	*hau*		

Cover artwork

'Taki Toru', 2017, acrylic on plywood, 400mm × 400mm, artist's private collection. Inspired by a traditional tukutuku panel at Makirikiri Marae in Dannevirke, 'Taki Toru' symbolises two-way communication.

Artist biography

Wellington-based artist Sheree Willman is of Ngāti Kahungunu and Rangitāne descent and draws on her cultural heritage to inspire her art. She studied Contemporary Māori Design at Wellington Polytechnic and has since worked in a variety of mediums. Willman shares her Wellington home with her husband and has three adult children.

'I am passionate about the patterns of tukutuku, the woven wall panels seen in whare tipuna or meeting houses, and also the patterns of tāniko, which is traditional flax weaving to make baskets or cloth. Old or new, these patterns each convey different meanings, mythologies and experiences.'

RAUPO

UK | USA | Canada | Ireland | Australia
India | New Zealand | South Africa | China

Raupo is an imprint of the Penguin Random House group of companies,
whose addresses can be found at global.penguinrandomhouse.com.

Penguin
Random House
New Zealand

First published by Penguin Random House New Zealand, 2018

10 9 8 7 6 5 4 3 2 1

Text © Hēmi Kelly, 2018

Cover design by Strategy Creative © Penguin Random House New Zealand
Text design by Cat Taylor © Penguin Random House New Zealand
Cover illustration by Sheree Willman
Prepress by Image Centre Group
Printed and bound in Australia by Griffin Press,
an Accredited ISO AS/NZS 14001 Environmental Management Systems Printer

A catalogue record for this book is available from the National Library of New Zealand.

ISBN 978-0-14-377213-2
eISBN 978-0-14-377214-9

penguin.co.nz

MIX
Paper from
responsible sources
FSC™ C009448